नासिरा शर्मा

नासिरा शर्मा का जन्म 22 अगस्त, 1948 को इलाहाबाद, उत्तर प्रदेश में हुआ। उन्होंने फ़ारसी भाषा और साहित्य में एम.ए. किया। हिन्दी, उर्दू, अंग्रेज़ी, पश्तो एवं फ़ारसी पर उनकी गहरी पकड़ है। वह ईरान और अफ़ग़ानिस्तान के समाज और राजनीति के अतिरिक्त साहित्य, कला व संस्कृति विषयों की विशेषज्ञ हैं। इराक़, अफ़ग़ानिस्तान, पाकिस्तान व भारत के राजनीतिज्ञों तथा प्रसिद्ध बुद्धिजीवियों के साथ उन्होंने साक्षात्कार किए, जो बहुचर्चित हुए। ईरानी युद्धबन्दियों पर जर्मन व फ्रांसीसी दूरदर्शन के लिए बनी फ़िल्म में उनका महत्त्वपूर्ण योगदान रहा। सर्जनात्मक लेखन में प्रतिष्ठा प्राप्त करने के साथ ही स्वतंत्र पत्रकारिता में भी उन्होंने उल्लेखनीय कार्य किया है।

प्रमुख प्रकाशित कृतियाँ—'बहिश्ते ज़हरा', 'शाल्मली', 'ठीकरे की मंगनी', 'ज़िन्दा मुहावरे', 'कुइयाँ जान', 'ज़ीरो रोड', 'अक्षयवट', 'अजनबी जज़ीरा', 'पारिजात', 'काग़ज़ की नाव', 'शब्द पखेरू', 'दूसरी जन्नत', अल्फ़ा-बीटा-गामा (उपन्यास); 'शामी काग़ज़', 'पत्थर गली', 'संगसार', 'इब्ने मरियम', 'सबीना के चालीस चोर', 'ख़ुदा की वापसी', 'बुतख़ाना', 'दूसरा ताजमहल', 'इनसानी नस्ल', 'सुनहरी उँगलियाँ' (कहानी-संग्रह); 'राष्ट्र और मुसलमान', 'औरत के लिए औरत', 'औरत की दुनिया', 'वो एक कुमारबाज़ थी', 'औरत की आवाज़' (लेख-संग्रह); 'जहाँ फ़व्वारे लहू रोते हैं' (रिपोर्ताज); 'यादों के गलियारे' (संस्मरण); 'अफ़ग़ानिस्तान : बुज़कशी का मैदान', 'मरजीना का देश इराक़' (सम्पूर्ण अध्ययन व शोध); 'शाहनामा-ए-फ़िरदौसी', 'गुलिस्तान-ए-सादी', 'क़िस्सा जाम का', 'काली छोटी मछली', 'पोयम ऑफ़ प्रोटेस्ट', 'बर्निंग पायर', 'अदब में बाईं पसली' (अनुवाद); 'किताब के बहाने, 'सबसे पुराना दरख़्त' (आलोचना); 'जब समय बदल रहा हो इतिहास' (विविध)

इनके अलावा बाल-साहित्य, दूरदर्शन और रेडियो के लिए भी विपुल लेखन।

ई-मेल : naserasharma22@gmail.com

अजनबी जज़ीरा

नासिरा शर्मा

लोकभारती पेपरबैक्स

पहला पुस्तकालय संस्करण
लोकभारती प्रकाशन द्वारा
2012 में प्रकाशित

लोकभारती पेपरबैक्स में
पहला संस्करण : 2017
दूसरा संस्करण : 2023

लोकभारती पेपरबैक्स : उत्कृष्ट साहित्य के लोकप्रिय संस्करण

लोकभारती प्रकाशन
पहली मंजिल, दरबारी बिल्डिंग, महात्मा गांधी मार्ग,
प्रयागराज-211 001
द्वारा प्रकाशित

वेबसाइट : www.lokbhartiprakashan.com
ईमेल : info@lokbhartiprakashan.com

शाखाएँ : 1-बी, नेताजी सुभाष मार्ग, दरियागंज, नई दिल्ली-110 002
अशोक राजपथ, साइंस कॉलेज के सामने, पटना-800 006
1, अनमोल सोराबजी संतुक लेन, धोबी तलाव, मरीन लाइंस, मुम्बई-400 002

बी.के. ऑफसेट
नवीन शाहदरा, दिल्ली-110 032
द्वारा मुद्रित

मूल्य : ₹ 199

AJANABI JAZEERA
Novel by Nasera Sharma

ISBN : 978-93-86863-04-1

अपनी माँ
नजमुन्निसा के
नाम

अजनबी जज़ीरा

एक

गली के मुहाने तक उसकी फ़रियाद बन्द दरवाज़ों से टकरा-टकराकर वापस उसके जिस्म को थपेड़े की तरह चोट पहुँचा रही थी। उम्मीद का टूटना क्या होता है सिर्फ़ वह जानती है। घुटनों के बल वह रोती-सी बैठी और फिर जैसे सिजदे में गिर गई।

सर्द हवाएँ उसकी काली चादर को किसी आवारा लड़की के दुपट्टे की तरह उड़ा रही थीं। आहिस्ता-आहिस्ता उसके उठते क़दम किसी बीमार औरत की तरह उसे मौत के दहाने की तरफ़ ले जा रहे थे। बदन काँप रहा था और आँसू थम नहीं रहे थे। सर्द हवाओं ने उसके चेहरे को आँसुओं की फुहारों की शक्ल में इधर-उधर उड़ाया मगर तसल्ली की एक भी थपकी न दी। उसके हाथ अपने चारों तरफ़ लपेटी चादर को इस तरह पकड़े थे जैसे उम्मीद की आख़िरी शमा को वह दिल में जलाए हुए है। उसके सामने हाँफता चेहरा उभरा और उसने अपनी आँखों से बढ़ते अँधेरे को ताका और क़दम तेज़ कर दिए।

आसमान से बूँदें टपकीं और उसने घबराकर सितारों भरे आसमान को ताका और दोनों हाथ ऊपर उठा दिए। तेज़ हवा के झोंके ने उसके सिर की चादर को उड़ाया और अँधेरे में गुम हो गई। उसके चेहरे पर उड़ती लटें थीं, जो गिरती बूँदों और बहते आँसुओं से धीरे-धीरे उसके चेहरे पर चिपक रही थीं। उसके दिल की इबारत को उठे हाथ बयान कर रहे थे। उसका पूरा

वजूद हवा में हिलती घंटी की तरह दुआ भरी फ़रियाद में बदल गया...

ख़ामोश फ़रियाद!

सर्द रात की थरथराहट में गर्म आहें!

घर के दरवाज़े उसके क़दमों की चाप सुनते ही खुल गए। सामने छोटी बेटी नेदा बेहाल-सी खड़ी थी। आँखों में वहशत थी, चेहरे पर हैरत मगर माँ का हुलिया देख वह सहम उठी। माँ दीवानावार घर में घुसी। गैलरी पार कर दौड़ती-सी कमरे में, जहाँ सब-कुछ ठहर गया था।

चारों लड़कियाँ बाप के ज़ानू को पकड़े सिसक रही थीं और उसका शौहर हाँफते-हाँफते थककर राहत की साँस ले चुका था। फूलती साँसों पर क़ाबू पाकर वह किसी सहमी बिल्ली की तरह आगे बढ़ी।

उसने नब्ज़ पर उँगली रखी, नाक के नीचे हथेली लगाई मगर वहाँ सब-कुछ साकित था, सब-कुछ।

उसने प्यार से लबरेज़ आँखों से शौहर को ताका और बड़ी बेबसी से मुस्कुरा पड़ी।

'इस हालत में भी तुम दुनिया के सबसे हसीन मर्द लग रहे हो।'

उसने शौहर का किताबी चेहरा छुआ। अधखुली इन्तज़ार में डूबी आँखों को ताका और दुलार में भर उसके माथे पर आई लट को हटाया और काँपते होंठों से उसकी पेशानी का चुम्बन लिया। बदन में हरारत बाक़ी थी।

उसने बेटियों की मदद से अपने लम्बे-चौड़े शौहर के मुर्दा जिस्म को सीधा लिटाया और काँपता हाथ उसकी अधखुली आँखों पर रखा और वहीं पड़ा रहने दिया!

उसे मेरा इन्तज़ार होगा।

दवा का भी जो उसे बचा सकती थी मगर...

वह फफककर रोना चाहती थी मगर पाँच लड़कियों की मौजूदगी में वह टूटकर बिखरना नहीं चाहती थी।

उसकी आँखों की पुतली तो...

लेकिन उसका अक्स इन लड़कियों की आँखों में हमेशा रौशन रहेगा, हमेशा। वह चुपचाप शौहर के सिरहाने बैठ गई।

बमों का गिरना अब उसे साफ़ सुनाई पड़ रहा था।

दूर कहीं भारी बमबारी हो रही थी।

एकाएक दरवाज़े पर दस्तक हुई तो वह सिहर उठी। उसकी आँखों में ख़ौफ़ उभरा। उसने पहले शौहर की बन्द आँखों, फिर उन दस खुली आँखों की तरफ़ देखा जो गुलाबी डोरों के बीच भयभीत हिरनियों की सवालिया नज़रें थीं। उसने हौसला भरी नज़रों से उन्हें देखा और पलँग से उतरी।

इस बार की दस्तक तवील थी।

जब तक वह दरवाज़े तक पहुँचती तब तक घंटी बजानेवाले ने उँगली बटन पर रख हटाना मुनासिब नहीं समझा। उसने पट से दरवाज़ा खोला।

'इतनी देर में?'

वह चुप रही।

'यह लो इन्हेलर, बहुत मुश्किल से मिला है।' आनेवाले के चेहरे पर ख़ुशी की बारीक़ लकीर खिंची।

'अब इसकी ज़रूरत नहीं है।'

'क्यों?'

'क्योंकि वह जन्नत की राह पर जा चुका है, और तुम...तुम भी यहाँ से दफ़ा हो।'

इतना कह उसने तेज़ी से दरवाज़ा उसके मुस्कुराते चेहरे पर बन्द किया और कुछ लम्हे थरथराती–सी खड़ी रही फिर एकाएक कटी शाख़ की तरह बन्द दरवाज़े पर आन गिरी।

फ़ौजी जूतों की भारी आवाज़ सन्नाटे में दूर जाती सुनाई पड़ी। वह

फफककर रो पड़ी।

कुछ मिनटों पहले अगर यह इन्हेलर आता तो शायद वह इनकार न करती। उसे अजीब-सा इतमीनान हुआ कि वह दूसरा क़दम उठाने पर हालात का शिकार नहीं हो पाई मगर किस क़ीमत पर?

मौत तब भी लाज़मी थी।

या वह मरता या मैं!

मुझे उसकी ज़िन्दगी हर क़ीमत पर मंजूर थी।

उसने चेहरा हथेलियों से साफ़ किया और उलटे क़दमों कमरे की तरफ़ बढ़ी जहाँ उसका जवान मर्द हमेशा के लिए गहरी नींद सो चुका था।

मुल्क से जानेवाले बड़ी-बड़ी रिश्वतें दे विदेशों की तरफ़ उड़ान भर रहे थे। उसके पास ऐसी कोई क़ीमती चीज़ नहीं बची थी जिसको बेचकर वह सात वीज़े ख़रीद सकती। बाज़ार में कुछ भी बिक सकता है और इसी एक चीज़ ने उसके परिवार को भूख से बचाया मगर कब तक, कहाँ तक?

सोच में डूबी थकी आँखें मौत की कोख से कुछ तलाश कर रही थीं। उसके ज़हन में उस अफ़सर की परछाईं बार-बार उभर रही थी।

इन्हेलर का छोटा-सा पैकेट उसकी क़िस्मत का कितना बड़ा फ़ैसला कर बैठा?

अपने जहाँ के लुट जाने पर वह दोनों हाथों से सिर पकड़े जाने कब से बैठी थी कि अब आगे की ज़िम्मेदारी कैसे पूरी करे और किसको मदद के लिए बुलाए। उस वक़्त सबा ने माँ के पास जाकर रुँधी आवाज़ से कहा, 'या उम्मी अबु ने किसी को भी इत्तला करने को मना किया है, जो करना है घर के पीछे हमें ही करना होगा।'

यह सुनकर माँ को सकता-सा हो गया।

जब माँ की ख़ून में तर आँखें सबा के चेहरे की तरफ़ उठीं तो उसकी चीख़ गले में घुटकर रह गई। यह कैसी आँखें थीं जिससे ग़म और ग़ुस्सा ख़ून

की तरह टपक रहा था। उसने घबराकर दोनों हाथों से अपनी आँखें छुपा लीं।

माँ का ध्यान कहीं और था। उसने बेबसी से कमरे के चारों तरफ़ देखा और अजीब बेकसी से अपना चेहरा शौहर के बर्फ़ की तरह ठंडे पैरों पर रख दिया।

अब वह चीख़ भी नहीं सकती है, न दहाड़ें मारकर सियापा कर सकती है। जाते-जाते उसके वकील शौहर ने अपने आख़िरी पैग़ाम में वह सब कह दिया था जो उसे अंजाम देना था। फिर भी उसे कुछ लोगों को फ़ोन पर इत्तला तो देनी होगी। उसने अपना सिर उठाया और अपने लम्बे-चौड़े हसीन शौहर को ऊपर से नीचे तक देखा, पता नहीं किस ख़्याल से वह सिहर उठी।

मोमबत्ती की लौ पिघलकर अब भड़कते-भड़कते बुझने-सी लगी थी। कमरे में कई साये मँडराए। कमरा अँधेरे में डूबने से पहले नई मोमबत्ती के रौशन होते ही पीली फीकी रौशनी में नहा गया।

बाहर सर्द हवाएँ कुछ इस अन्दाज़ से घर के चारों तरफ़ गोल-गोल घूम रही थीं जैसे कोई किसी का पीछा कर रहा हो। माँ ने घर का दरवाज़ा खोला और पत्थर की चिकनी सीढ़ियाँ उतर वह घर के पीछे जानेवाली गली में दाख़िल हुई जहाँ अँधेरे की सियाही कजलौटी बनकर बिखरी थी। दूर खड़े लैम्पपोस्ट की रौशनी को घने पेड़ की शाखाओं ने रोक रखा था तो भी एक-दो बारीक़ लकीरें किसी तरह छनकर ज़मीन पर चाकू की धार बना रही थीं। न पास में टॉर्च थी न ही मोबाइल फ़ोन, न मोमबत्ती इस हवा का मुकाबला कर सकती थी। वह काँपती-सी खड़ी रही।

आँखें धीरे-धीरे अँधेरे की आदी हो रही थीं। ज़मीन ऊबड़-खाबड़ थी। खोदने के लिए न फावड़ा था न गैंती।

आसमान से टपकती शबनम की बूँदें शाखाओं से फिसलकर उसके खुले सिर पर गिर रही थीं। वह बेहिस सी खड़ी टकटकी लगाए ज़मीन को ताके जा रही थी!

क़ब्र खोदनी है तो यह काम रात के अँधेरे में ही मुमकिन है वरना...वह चौंकी किसी के पैरों की आहट से जो उसके पास आकर थम-सी गई थी।

'या उम्मी...अन्दर चलो अबु के पास, कल दोपहर तक हम सारा इन्तज़ाम कर लेंगे। लरज़ती सी आवाज़ उसके कानों से टकराई, उसने गहरी साँस ली और ख़ुद से बोली-

'सही तो है अँधेरे में खड़ी मैं क्या ढूँढ़ रही हूँ?'

माँ-बेटी एक-दूसरे का सहारा बनी उस कच्ची गली से बाहर निकल सीढ़ियों की तरफ़ बढ़ीं।

'या मम्मी नाना को क़फ़न के लिए भी क्या फ़ोन नहीं करोगी?' कमरे में पहुँच बेटी ने पूछा।

'करना चाहिए वरना ख़ुद निकलूँगी।' उसने काँपती आवाज़ से कहा और शौहर के चेहरे को देखा जिस पर एक दिलकश मुस्कान थी। सारी तकलीफ़ों के बाद चेहरे पर सुकून था। उसके होंठ लरज़कर रह गए।

सूजी जलती आँखें लिये लड़कियाँ बाप की पट्टी से लगी बैठी थीं और एकटक बाप को निहार रही थीं।

उसने अपना पर्स उठाया। पैसे गिने और फ़िक्र में डूब गई। वह नहीं चाहती थी कि शौहर की आख़िरी ख़्वाहिश के ख़िलाफ़ जाए वरना चचा को वह ज़रूर फ़ोन करती। इस वक़्त सब-कुछ आसानी से निपट जाता। उसको महसूस हुआ जैसे दो उक़ाब बड़े-बड़े डैने फैलाते जानें कहाँ से भारी बोझ बन उसके कन्धों पर आकर झूल गए हों।

कोहरे में लिपटी सर्द सुबह एक गर्म चाय की प्याली के साथ बर्दाश्त के क़ाबिल बनाई जा सकती है। बाँह टूटे हारे बदन से वह उठी और किचन की तरफ़ बढ़ी जहाँ चाय का डिब्बा ख़ाली था। उसने बेबसी से उसको ठोका मगर टिन के छोटे-से डिब्बे से चूरा नहीं झड़ा।

'बाज़ार में चीजें रहती हैं तो पैसे नहीं और पैसे रहते हैं तो दुकानों में सामान नहीं।' उसने बड़बड़ाते हुए गर्म पानी को प्याली में उँड़ेला और थोड़ी-सी

शक्कर डाल चमचा चलाया।

'क्या होगा?' उसने कनपटी को उँगलियों से दबाया और गर्म घूँट भरा। चाय की तलब और गर्म घूँट आपस में गडड्मड्ड होकर उसे हौसला दे गए, लगा कन्धों पर बैठे उक़ाब जैसे उड़ना चाहते हों।

'मुझे बाहर जाना होगा।' वह आख़िरी घूँट पीकर बोली और किचन से उसने बड़ा चाक़ू और कबाब सेंकने की लोहे की सीख़ें उठाईं। इतनी सर्दी में भी उसकी पेशानी पर पसीने की बूँदें झिलमिला रही थीं।

बाहर धूप का गुलाबी ग़ुबार फैला था।

वह तेज़ी से सीढ़ियाँ उतरी और गली पार कर घर के पिछवाड़े पहुँची। चारों तरफ़ से पेड़ों से घिरा कभी वह एक छोटा-सा बग़ीचा होगा जो अब जंगली झाड़ियों से भरा था। उसे लगा कि एक तीली लगा देने से यह सारी सुनहरी कत्थई झाड़ियाँ घंटे भर में जलकर राख हो जाएँगी फिर...

अगर सुरक्षा पुलिस या फ़ौज का कोई सिपाही धुआँ देखकर आ गया तो...उसका सारा बदन पसीने से सराबोर हो गया।

'तब क्या होगा? तब क्या होगा?'

कह देगी, वह कह देगी कि हाँ वह इस बंजर ज़मीन में सब्ज़ी बोएगी, हाँ-हाँ, यही कहेगी वह...

उसने लगभग दौड़ते हुए गली पार की और किचन का दराज़ खोल सिगरेट के पुराने लाइटरों के बीच नया लाइटर तलाश करने लगी। जब उसे नहीं मिला तो वह झुँझलाई हुई बेडरूम की तरफ़ बढ़ी और लाइटर उठा तेज़ी से बाहर की तरफ़ निकली। किनारे खड़ी कुछ देर वह सूखी झाड़ियों के सुनहरे कत्थई रंग को गुलाबी रंगत में घुलता देखती रही फिर हाथ में पकड़ा लाइटर उसने जलाया एक बार, दो बार, तीन बार मगर हर बार अँगूठा फिसल जाता और शायद यह उसका डर ही था जो निशाना हर बार ख़ता हो रहा था। वह घुटने के बल बैठ गई और अख़बार के उड़ते टुकड़ों

को जमा कर आग के सुपुर्द करने की भरपूर कोशिश की।

इस बार पहले ही झटके में लाइटर से नीली लौ निकली और काग़ज़ के टुकड़े ने आग पकड़ ली। अपने काले वजूद को केंचुली की तरह छोड़ता अख़बार का वह टुकड़ा नन्ही लपटों में तब्दील हो झाड़ियों से बग़लगीर हो उठा। चर-चर की आवाज़ करती नारंगी, पीली लपटों ने रफ़्तार पकड़ ली। उसकी शल्ल पड़ती जाँघों में गर्मी पहुँची और देखते-देखते वह पूरा बग़ीचा जलकर राख और अंगारों में बदल गया। उसे महसूस हुआ जैसे कोई देर तक रोने के बाद आख़िरी सुबकियाँ ले रहा हो।

उसने लम्बी साँस ली जिसमें सुकून का हलका अहसास था। वह जैसे ही पीछे मुड़ी तो धक से रह गई।

उसकी फटी आँखें सामने जमी थीं। बदन का ख़ून जम गया और दिमाग़ में एक साथ झुँझलाहट, ग़ुस्सा और ख़ौफ़ के दायरे बनने-बिगड़ने लगे थे।

'यह सब क्या है?' सामने वही फ़ौजी दूसरे घर की मुँडेर पर चढ़ा उसे घूर रहा था। उसकी आँखों में जिज्ञासा और ताज्जुब था। चेहरे पर कुटिल मुस्कान।

'कुछ भी नहीं।' उसने ढिठाई से कहा और क़दम आगे बढ़ाया जैसे कहा हो, 'चल भाग यहाँ से लाल मुँहवाले बन्दर, हर पल हमारी ज़िन्दगी में टाँग अड़ाने चला आता है।'

'ठहरो!' वह तंग गली में कूदा और जले हिस्से को गहरी नज़रों से देखता हुआ बोला, 'मैं कुछ पूछ रहा हूँ।'

'सफ़ाई, गन्दगी थी।'

'कल रात तुम्हारा शौहर चल बसा और तुम यहाँ सफ़ाई में लगी हो, आर यू क्रेज़ी?' लहज़े में डपट थी। चेहरे पर ग़ुस्से का भाव।

'तो फिर मुझे क्या करना चाहिए?' उसने ज़हरीले लहज़े से शोला उगलती आँखें ऊपर उठा पूछा।

'यह तो तुम्हें पता होना चाहिए कि इस वक़्त तुम्हें क्या करना चाहिए?'

उसने सख़्त लहज़े से कहा।

कुछ पल ख़ामोशी रही।

अफ़सर उसके क़रीब जाकर खड़ा हुआ और कन्धे पर पिस्टल की नोक चुभोकर बोला, 'मुँह में ज़बान है?'

'उसे यहाँ दफ़नाना है।' कहते-कहते उसकी इल्तजा से भरी आँखें उठीं मगर दूसरे पल उसकी ग़ैरत को गहरी चोट लगी, किसी अजनबी शख़्स के सामने अपनी बेचारगी का दुखड़ा यूँ बयान करते हुए। लाख ज़ब्त के बावजूद वह अपने आँसू रोक नहीं पाई। उसे अपने बेवक़्त के रोने पर भी ग़ुस्सा आ रहा था। उसका बदन किसी तने की तरह सीधा होकर भी किसी नाजुक शाख़ की तरह लरज़ रहा था।

'स्टाप क्राइंग,' उसने झुँझलाए लहज़े से कहा और स्थिति को समझने की कोशिश की। बात समझने के बाद वह आगे बढ़ा। उसका शाना हमदर्दी से थपथपाना चाहा मगर बीच में ही ठिठककर रह गया जैसे नंगे तार को छूने की हिमाकत करने जा रहा हो। कुछ पल यूँ ही गुज़र गए।

माँ ने अपने बिखरेपन को समेटा और नज़रें चाक़ू और सीख़ पर गाड़ दीं। अफ़सर की नज़रें भी उधर घूम गईं। उसने आँख सिकोड़ दोनों चीज़ों को ग़ौर से देखा, फिर औरत के चेहरे को। वह हल्के से मुस्कुराया जिसमें कुछ ऐसा भाव था जैसे किसी बच्चे के बड़े हौसले पर प्यार आए।

'तुम सचमुच में पागल औरत हो। घर जाओ! इन्तज़ार करो।' पिस्टल कमर में खोंसते हुए उसकी आवाज़ गूँजी मगर वह उसी तरह जड़ बनी खड़ी रही।

'यह मेरा हुक्म है,' लहज़ा मुलायम होने के बावजूद फ़ैसलाकुन था।

उसने नज़रें उठाईं। उस अंग्रेज़ फ़ौजी को देखा और हज़ार शिकवे एक साथ ऊपरवाले से कर बैठी।

'याद रहे!' चलते हुए वह रुका और इतना कहकर उसने माँ की आँखों में झाँका जहाँ उसे सिर्फ़ नीले साफ़ आसमान का अक्स दिखा, जहाँ कोई

जज़्बा परिन्दा बन उड़ान नहीं भर रहा था।

लड़कियाँ सारी रात रोने के बाद अब जागी-सोई-सी पड़ी थीं। उसे यह सोगवार सुबह जाने क्यों नई ज़िन्दगी की दस्तक की तरह लगी। उसने लड़कियों को जगाया नहीं, ऊँघने दिया। शौहर के चेहरे को देखा। ज़िन्दगी भर एक-दूसरे की ख़्वाहिशों के लेहाज़ को ही अपनी दौलत समझी और अब जब एक-दूसरे से जुदा होने का वक़्त आया तो घर में था क्या जो आख़िरी सफ़र की तैयारी करती और अब वह सरफिरा गोरा हर तरह की रोक लगाकर चला गया है। जाने उसके दिमाग़ में क्या चल रहा है। वह सिर घुटनों पर टिकाकर बैठ गई।

वक़्त को वह लम्हे लम्हे गुज़रता महसूस कर रही थी।

शौहर जितना भी प्यारा क्यों न हो, लाश तो दफ़नानी ही पड़ेगी...या ख़ुदा, चलते हुए आसमानी किताब भी उठाना भूल गई थी। कम--से-कम मैं इस वक़्त तलावत तो कर सकती...कैसी मजबूरी है।

'या उम्मी, इस तरह आप चुप क्यों हैं...बारह घंटों से ज़्यादा वक़्त...' लैला ने माँ की वीरान पड़ी आँखों में झाँकते हुए कहा।

माँ ने जवाब नहीं दिया मगर एक आँसू ज़रूर आँख से लुढ़क लैला के हाथों पर गिरा मगर दूसरी आँख उसी तरह ख़ुश्क रही।

घर के दरवाज़े पर दस्तक के साथ कई क़दमों के एक साथ सीढ़ी चढ़ने की आवाज़ सुनाई पड़ी। वह चौंकी, तड़पी और थरथराते हुए खड़ी हो गई। उसका दिमाग़ जैसे सुन्न हो रहा था। आँखों के आगे अँधेरा।

लड़कियाँ सहमी खड़ी थीं। दूसरी दस्तक पर वह जैसे नीम-बेहोशी से जागी हों। लड़कियों को धक्का देकर उसने कमरे से निकाला और उन्हें ठेलती हुई हाल की तरफ़ ले गई, फिर उन्हें अन्दर ठूँसकर दरवाज़े पर कुंडी लगाई। उसके पैर काँप रहे थे। गला ख़ुश्क था। कमज़ोरी के मारे चक्कर-से आ रहे थे।

'या मुश्किलकुशा!' कहती हुई वह आगे बढ़ी और ज़िन्दगी का आख़िरी

दाँव जीतने की तैयारी में उसने दरवाज़ा खोला।

जो सोचा था वह सामने नहीं था।

उसने फटी आँखों से सबके चेहरे देखे और सिर से गिरा स्कार्फ़ जल्दी से गर्दन से उठा माथे पर ठीक किया और धीरे से बोली, 'कहिए?'

'हम आख़िरी रसूमात के लिए आए हैं।' सामने खड़े सियाह लिबासवाले ने कहा और दूसरे साथियों ने हामी भरी।

'वह मेरे शौहर...' वह हकलाकर बोली और बदहवासी में सोच बैठी यह सब जैसे चचा के भेजे लोग हों।

'अगर आप इजाज़त दें तो हम घर में दाख़िल हो अपना फ़र्ज़ पूरा करें।' उसे दरवाज़े के सामने खड़ा देख कोई बोला।

'जी, जी,' उसने गहरी साँस भरी और कमरे की तरफ़ इशारा किया।

अँधेरा ख़ामोश घर एकाएक आवाज़ों से भर गया। क़ारी की आवाज़ के साथ अगरबत्ती का धुआँ कमरे में बादल बन लहराने लगा। पानी के गिरने की छल-छल आवाज़ और दुआ पढ़ने की मद्धिम गुनगुनाहट घर में तैर रही थी और वह हाल के बन्द दरवाज़े के सामने काली चादर ओढ़े सोगवार बनी बैठी थी। कितना अजीब था कि वह इस वक़्त अलबनाही के गाने की आवाज़ अपने कानों में ज़्यादा ऊँची आवाज़ से गूँजती महसूस कर रही थी, जब वह नहाने में मगन हो गाता था।

लाश को कफ़नाने के बाद वे सब बाहर निकले तो उसने झपटकर दरवाज़ा बन्द किया और लड़कियों को बाप के आख़िरी दीदार के लिए बाहर बुलाया। हसरत से उसने शौहर के चेहरे पर अलविदा की आख़िरी नज़र डाली। उसे छूने और प्यार करने की तमन्ना दिल में घुटकर रह गई।

जब उसने दरवाज़ा खोला तो घर के सामनेवाली चौड़ी सड़क पर उसे बुलेटप्रूफ काले शीशोंवाली जीप दिखी मगर उसके दिमाग़ में कुछ कौंधा नहीं। जनाज़ा घर की दहलीज़ पार कर काली लम्बी गाड़ी की तरफ़ बढ़ रहा था। सड़क पर आते-जाते इक्का-दुक्का लोग ठहरे फिर सबने

रफ़्तार पकड़ ली।

वह जाने क्या सोच एकाएक सीढ़ियाँ उतर जनाज़े के पीछे बिना सिर ढके नंगे पाँव भागी। उसकी दीवानगी देख किसी एक ने पलटकर कहा, 'आपकी ज़िम्मेदारी ख़त्म होती है।'

उसके भागते पैर किसी पेड़ की तरह जम-से गए।

दूसरे लम्हे वह मक़नातीसी खिंचाव के चलते घर की तरफ़ मुड़ी। सूखे पत्तों की चरमराहट का शोर उसके क़दमों से उठ रहा था। सीढ़ी पर बैठ जब आँसुओं से भीगी आँखों को उसने पोंछा और नज़रें उठा सामने देखा तो वहाँ कोई न था। सड़क ख़ाली थी।

वह सीढ़ी से उठकर अन्दर आई।

घर में भी अब कौन था, मालिक तो विदा हो गया था। जहाँ से अभी गहवारा उठकर बाहर गया था, उसी जगह वह औंधी लेट गई।

उसके काँपते हाथ पक्के फ़र्श पर कुछ टटोल रहे थे। और आँखों के सोते उबल रहे थे। सोगवारी के चन्द माह वह किसी बेवा की तरह 'इद्दत' में न गुज़ार सकी। उसे पुरसा देने भी कोई न आया। फ़ोन के तार शायद कट चुके थे। उसे सिर्फ़ एक ही बात सुकून दे जाती थी कि अलबनाही का आख़िरी सफ़र उसी तरह अंजाम पाया जैसे वह उस दुनिया में आया था। क़ब्र में वह अपने आमाल जाने फ़रिश्तों के सामने क्या कहना है मगर वह दर्द से आज़ाद हो गई कि उसने अपने शौहर को नए कफ़न की जगह पुराने कपड़ों में बिना रस्म व रिवाज के दफ़न कर दिया है।

छह माह कैसे पलक झपकते गुज़र गए, पता ही न चला। मगर वह अपने शौहर को एक दिन भी नहीं भूल पाई। अकेले बिस्तर पर तन्हा करवटें बदल न वह भूख से कुलबुलाती अँतड़ियों को आराम दे पाती थी, न उन यादों से छुटकारा ले पाती जो उसके शौहर की परछाइयाँ बन उसके चारों तरफ़ रक़्स करती उसे महसूस होती थीं। उसे अजीब तरह की तलाझनी

हरदम अपनी गिरफ़्त में लिये रहती कि अब आगे क्या होनेवाला है। उसके पास ज़िन्दगी की पहेली का कोई हल न था सिवाय तारीकी में तैरने के।

'यह पाँच क़ीमती मोती हमेशा आबदार बने रहें।' हर रोज़ रात को हज़ारों बार दोहराई जानेवाली दुआ उसने दिल की गहराइयों से अदा की और आँखें बन्द कर लीं।

पास के कमरे से बेटियों की आवाज़ अब आना बन्द हो गई थी। उसने वक़्त का अन्दाज़ा लगाया मगर समझ नहीं पाई कि रात आधी गुज़र चुकी है या...। घड़ी की टिकटिक से एक वहशत-सी दिल में घिरती थी। वक़्त अपने गुज़रने का एलान कुछ इस तरह करता कि वे सब उसके आगे जवाबदेह हो उठतीं। इसलिए उसको वह बेच आई।

'अच्छा किया मैंने,' उसने सन्तोष की साँस ली और तकिए पर सिर रखा तो लगा अलबनाही की गर्म साँसें उसके चेहरे को दुलार रही हैं।

दो

बाज़ार में घुसते ही समीरा का सिर शोर सुन चकराने लगा। यह बदनज़मी पहले नहीं थी मगर अब हर इराक़ी अपने हालात का शिकार हो मौजूदा बहाव में बह रहा है। समीरा हसरत से हरी सब्ज़ियों को देख रही थी जिसे ख़रीदने की उसमें हिम्मत न थी। महँगी सब्ज़ी को लेकर दुकानदार और ग्राहक में झड़पें चल रही थीं।

'नहीं जानती क्या हाल है?'

'जानती हूँ ज़माने में आग लगी है मगर इतनी नहीं, जितना तुम हमें ठग रहे हो।'

'तौबा, इस ईमान पर जो अपने होकर भी...'

'चलो जाओ...जाओ यहाँ से जाओ...जगह ख़ाली करो, कितनी मुश्किलों से हम लाते हैं पता है कुछ?'

'क्यों ख़ून जलाते हैं लोग बहस करके...'

समीरा ने गहरी साँस भरी और फलों की तरफ़ बढ़ी। तभी तेज़ शोर उठा और कुछ लोग लपके दौड़े...

'इसने मछली उठाई है।' दुकानदार की साँसें तेज़ और उससे तेज़ उसका लहज़ा।

'बाबा...कैसा इल्ज़ाम? मैं तो सिर्फ़ उठाकर देख रही थी कि ताज़ा है या...'

'इसका झोला उलटो!'

'लो, देख लो,' औरत की रुआँसी आवाज़ उभरी।

'इसमें तो मछली नहीं है।' किसी ने कहा।

'चोरी की है इसने, वह छोटी लड़की जो तुम्हारे साथ थी कहाँ है, बोलो?' दुकानदार अड़ गया।

'कौन छोटी लड़की?' औरत ने पूछा और झुककर सामान ज़मीन से उठा थैले में भरने लगी, साथ-ही-साथ कोस भी रही थी।

'मैंने इसको कई बार देखा है, लड़की को सामान थमा भगा देती है। इस बार मैं सीधे लड़की को पकड़ूँगा और उगलवाऊँगा कि वह चोरी का सामान ले जाती है या नहीं।' दूसरे दुकानदार ने कहा।

समीरा उस औरत की हालत पर तरस खा रही थी मगर पास जाकर हमदर्दी दिखाने का हौसला न जमा कर पाई।

अभी भीड़ छिटकी थी कि कुछ दूर पर शोर उठा।

किसी बूढ़ी औरत ने दो कुब्बे (रोटी) छुपा अपनी अबा में डाल लिये थे। बूढ़ी औरत पकड़े जाने पर थर-थर काँप रही थी। चेहरे पर हवाइयाँ उड़ रही थीं। और आँखों से बेतहाशा आँसू की लड़ियाँ गिर रही थीं।

'गुनाह है, बूढ़ी है, छोड़ दो।'

'किस-किस को छोड़ें? कोई निज़ाम है इस मुल्क में?'

समीरा से अब अपनी जगह खड़ा नहीं रहा गया। आगे बढ़ी और बूढ़ी औरत को तसल्ली देने के लिए उसका शाना थपका तो उसके सूखे होंठों से कुछ अल्फ़ाज़ निकले जो समीरा की समझ में नहीं आए। उसने दुकानदार से रोटी की क़ीमत पूछी और उसे अदा करते हुए कहा, 'यह मेरे साथ हैं, मैं माफ़ी चाहती हूँ।'

समीरा उस बूढ़ी औरत को भीड़ से निकाल एक खुली जगह पर लाई जहाँ कूड़ेदान और ख़ाली दफ़्ती के डिब्बे पड़े थे।

'कुछ और चाहिए माँ?' समीरा ने पूछा।

वह फफककर रो पड़ी फिर धीरे से बोली, 'मेरे दो नवासे हैं, कल से भूखे हैं, चारा क्या था मेरे पास?'

'दिल छोटा न करें, कुछ शरबत...आप ठहरें मैं लाती हूँ।' आगे बढ़कर उसने शरबत की बोतल का दाम पूछा तो सुनकर माथे पर पसीना छलक आया।

क्या करें अब? शरबत लेती हूँ तो घर ले जाने के लिए कुछ ख़रीद नहीं पाऊँगी...या ख़ुदा।

'कोई इससे छोटी बोतल या...' समीरा ने पूरे खोखे पर नज़र डाली।

'अच्छा...अच्छा, यह दो लालीपाप दे दीजिए।' समीरा ने लिफ़ाफ़ा पकड़ाते हुए राहत की साँस ली।

बूढ़ी सिर पर हाथ रखे उसी तरह बैठी थी। समीरा को आता देखा तो बड़ी मुश्किल से घुटनों पर हाथ रखकर उठी।

'आज तो हमारी मुश्किल...मुश्किलकुशा ने हल कर दी, कल हज़रत अब्बास आएँगे मदद को,' इतना कह वह हँसी और समीरा से पूछा, 'बेटी तुम ठीक-ठाक हो? हम क्या से क्या हो गए?' कहती हुई वह बिना जवाब सुने आगे बढ़ीं। उन्हें अब सिर्फ़ अपने नवासों की फ़िक्र लग रही थी। समीरा उन्हें कुछ पल जाते देखती रही फिर जाने किस ख़्याल के आते उसके सारे बदन में झुरझुरी-सी दौड़ गई।

उसके पास अब इतने पैसे बचे थे कि वह अंगूर का एक ख़ोशा और चन्द रोटियाँ ख़रीद ले।

ज़मीन पर फैले कूड़े से अपने को बचाती हुई वह बाज़ार से बाहर निकली। अन्दर सीलन और गन्दगी के बावजूद ज़िन्दगी थी। बाहर छिटकी धूप में वीरानी और मुर्दा इमारतें थीं।

जब वह सड़क पार कर आगे की गली में मुड़ी तो एक अलग ही मंज़र था। जो गलियाँ मोटर साइकिलों और कार से पटी पड़ी रहती थीं वह ख़ाली थीं। घरों के जँगले और पल्ले ग़ायब थे।

इन शहरवासियों को क्या हो गया है?

उसके गले में काँटे चुभ रहे थे। प्यास के मारे बुरा हाल था। घर कोसों दूर था। उसने हसरत से बदरंग घरों को देखा, जाकर अपनी प्यास बुझा पल-दो पल थकन उतार लेती। दाहिनी एड़ी बुरी तरह से टीस रही थी। उसने अपने हाल पर नज़र डाली और सोचा कि पहले फ़क़ीर औरतों का यह पहनावा होता था। बिना एड़ी के चप्पल, काला गन्दा लिबास, चेहरा उजाड़, बाल बिखरे और होंठ सूखे।

ख़रीदारी करते हुए अगर मैं यह हुलिया न बनाऊँ तो दुकानदार दाम सस्ता देगा ही नहीं। हालात ने हमें किस तरह की चालाकी सिखाई है!

अचानक उसे चक्कर-सा महसूस हुआ।

उसने पास की दीवार से टिक जाना ही मुनासिब समझा और कुछ पल आँखें बन्द कर खड़ी रही फिर बड़ी हिम्मत जमाकर उसने थैले से एक अंगूर का दाना निकाला और मुँह में डाला। उसे धीरे-धीरे ज़बान के ऊपर घुलाने लगी।

उसे बूढ़ी औरत याद आई। अगर कल को वह पुलिस के हत्थे चढ़ गई तो उसके दो छोटे नवासों का क्या होगा?

लालीपाप्स चूसते उसके दोनों नवासे उसकी आँखों के सामने घूम गए।

उसके चेहरे पर मन्द-सी मुस्कान उभरी।

उसने दूसरा अंगूर ज़बान पर रखा और उसे धीरे-धीरे घुलाने लगी।

चौड़ी सड़क पार करते हुए उसे याद आया पहले मश्क में शरबत भर भिश्ती इधर-उधर घूमते हर ख़ास व आम की प्यास बुझाते थे! समाज की लय किस तरह टूटी है कि अपना शहर अजनबी लगने लगा है। लोग एक-दूसरे की जान के प्यासे हो उठे हैं।

सड़क पार कर वह दूसरी गली में दाख़िल हुई। वहाँ भी वही हाल था, अब किसी की बालकनी से ग़ालीचे हवा व धूप में सूखते नज़र नहीं आ रहे थे। खिड़की के बाहर गमले सूखे और चिटखे दिख रहे थे। इन गलियों से वह पहले नहीं गुज़री थी तब कार सिर्फ़ चौड़ी सड़क पर दौड़ती और मॉल के आगे रुकती थी मगर अब यह गलियाँ घर का रास्ता छोटा बनाती हैं और ख़ारजी कुत्तों की नज़र से बचाए रखती हैं। गली में सीली बदबू फैली थी। जगह-जगह कूड़े का ढेर था। शायद इन घरों में कोई मर्द ही न बचा हो और औरतें बाहर बहुत कम निकलती हों।

तभी एक औरत हड़बड़ाई-सी गली में दाख़िल हुई। वह कुछ बड़बड़ा रही थी। क़रीब से गुज़रते हुए वह ठिठकी फिर समीरा के चेहरे को ग़ौर से ताकने लगी। हकलाती हुई बोली 'स...समीरा...समीरा हो न?'

'हाँ, तुम...तुम रुया हो, या ख़ुदा?'

दोनों एक-दूसरे से इस तरह लिपटकर सिसक पड़ीं जैसे अपनों का पुरसा दे रही हों।

'तुम इधर से?' रुया ने आँसू पोंछ नाक सुड़कते हुए पूछा।

'यह रास्ता छोटा और ठंडा है...' इतना कह समीरा ठहर गई।

'अलबनाही कैसा है, बच्चियाँ कैसी हैं?'

'अलबनाही हमें छोड़ गए। बच्चियाँ मामू के पास लन्दन में हैं...बस मैं अकेली जान...' झूठ कह समीरा ने लम्बी साँस खींची।

'सुनकर अफ़सोस हुआ...तभी तुम्हारा यह हाल है...मैं अपनी क्या कहूँ जो अलबनाही पर गुज़री वही मेरे शौहर अल-बाक़र पर...बाक़र का जीना न जीना अब कोई मायने नहीं रखता। इलाज करवाऊँ तो हाल सुधरे...। पैरालिसिस ने बिस्तर पर लिटा दिया है। हमने सब्र कर लिया कि साँस चलती रहे। चलो, घर चलो...अच्छा रहने दो...मेरा घर देख तुम्हें दुख होगा, बहुत दुख होगा, अब हम एक कमरे में रहते हैं। वह शान व शौकत चली गई...बाक़र अपने जाननेवालों से मुँह छुपाता है...हर उस शख़्स को

गाली देता है जो ईमानदार है...तकलीफ़ों ने उसकी अक़्ल पर पत्थर गिरा दिए हैं...अब आगे क्या बोलूँ...अपने से बोलते-बोलते थक जाती हूँ तब कहीं जाकर आँख लगती है।'

'फ़रीबा और ज़ेबा कैसी हैं?'

'फ़रीबा और ज़ेबा...कैसी हैं? मुझे तो पता नहीं वह कहाँ हैं? ख़ुद गईं या उठा ली गईं, सही-सही कुछ नहीं पता समीरा, कुछ नहीं पता, उन्हें कहाँ ढूँढूँ?'

समीरा के सारे बदन पर लरज़ा तारी हो गया। पाँचों के चेहरे नज़रों के सामने घूम गए। वह हड़बड़ा-सी गई।

'मैं अपना बदन नुचवाती हूँ...अपने हम-शहरियों से...और क्या करूँ, ईमान को लेकर चाटूँ या इस्मत को लेकर नाचूँ? देखो, अब मेरे पास इतने रियाल हैं कि मैं हफ़्ता आराम से गुज़ार सकूँ...अल-बाक़र मुझे गाली देता है, बदकार और बेवफ़ा कहता है, शहवतरानी का इल्ज़ाम देता है, फिर मेरे पैरों पर गिरकर फूट-फूटकर रोता है जब इन पैसों से उसके पेट की आग बुझाती हूँ। उसके लिए पेनकिलर और मालिश का तेल ख़रीदती हूँ, ज़िन्दगी का इतना बदसूरत चेहरा देखने के हम हक़दार नहीं थे, जो हमने बोया नहीं वह हम क्यों काट रहे हैं?'

'एक कोई वजह हो तो कही जाए?' समीरा ने धीमे से कहा।

'तू अभी बहुत जवान लगती है, फाँस ले किसी को, अब तो तू आज़ाद है...सच अल-बाक़र मेरी जान का अज़ाब न बना होता तो मैं दरबदर भटकने से बेहतर किसी के साथ हो लेती, इज़्ज़त से रहती, लेकिन हर बार...मुझे समीरा अपने से घिन आने लगी है। अपनी चमड़ी को खुरच डालना चाहती हूँ और उस ख़ुदा के सामने सिजदे से इनकार करना चाहती हूँ, जो यह सब देख चुप है, चुप!' रुया ने ग़ुस्से में अपने दोनों हाथ अपनी रानों पर पटके और समीरा के कन्धे पर सिर रखकर बिलख उठी।

ऊपर घर की खिड़की से किसी ने नीचे झाँका।

'क्या हुआ...बहन क्या हुआ?'

'कुछ नहीं, बस हम पुरानी सहेलियाँ अरसे बाद मिली हैं।' समीरा ने फ़ौरन जवाब दिया तो उसने इशारे से कुछ इस तरह के संकेत दिए जो कह रहे थे कि यहाँ ज़्यादा देर ठहरने में ख़तरा है। पुलिस और आर्मी में काम करनेवालों के घर हैं जो दरअसल मुख़बिर हैं। इतना बता उसने खिड़की पर लगा पर्दा खींच दिया।

दोनों सहेलियों के चेहरे पर हवाइयाँ-सी उड़ीं फिर सेकंड भर बाद वे दोनों सँभलीं और एक-दूसरे से गले मिल जल्दी-जल्दी चलती दो मुख़ालिफ़ दिशा की तरफ़ बढ़ गईं। समीरा का दिल खट्टा हो चुका था। हाथ में पकड़ी रोटी ठंडी और अंगूर का ख़ोशा मुरझा चुका था।

गली से निकलते ही एक फुटपाथी बाज़ार मिला जहाँ छोटी-छोटी दुकानें लगाए मर्द उकड़ूँ बैठे थे। गर्दनें उनकी झुकी हुई थीं। उनके सामने उनके ही घर की चीज़ें सजी थीं जिन्हें मज़दूरनुमा लोग बड़े मोलभाव के साथ ख़रीद रहे थे।

समीरा चन्द पल वहाँ ठहरी। दुकानों पर रखी चीज़ों को देखकर वह बड़ी आसानी से अन्दाज़ा लगा सकती थी कि यह किस तबक़े से आई हैं और इसका मालिक किस तरह का काम करता है। वह धीरे-धीरे चलती हुई आगे बढ़ी और एकाएक उसके क़दम थम गए। सामने पुरानी किताबों के ढेर थे। उसने झुककर किताब उठाई और पन्ने पलटने लगी। वहाँ वे सारी किताबें मौजूद थीं जो कोई भी अपने किताबख़ाने में रखने में फख़्र महसूस करता। एक-दो किताबें वह कब से ख़रीदना चाहती थी मगर दस्तयाब न थीं। उसने उनकी क़ीमत पूछी। जो सुना उससे बुरी तरह चौंक पड़ी फिर उदासी से हँसी।

'वक़्त-वक़्त की बात है!'

'मैं दाम कम कर सकता हूँ।' उस मर्द ने लजाजत से कहा।

वह जाते-जाते रुक गई। पर्स ख़ाली था, चाहत पेंगें ले रही थी, ख़ासकर इतनी महँगी किताब का इतना सस्ते में मिलना। उसने कुछ देर उन किताबों

को देखा फिर धीरे से कहा, 'अभी नहीं, फिर कभी इधर से गुज़री तो ज़रूर लूँगी।'

समीरा की बात सुन उसका मुँह लटक गया। पास खड़े लोकल गार्ड ने दोनों की बातें सुनीं और हँसा। हाथ का सामान दुकानदार के सामने फेंककर आगे बढ़ा और किताब-फरोश से बड़े दोस्ताना मगर फ़हश अन्दाज़ से बोला, 'वह आएगी ज़रूर यार। क्योंकि यह औरत सारे-सारे दिन सड़कों, कूचों में भटकती रहती है।'

समीरा ने अपने पूरे होश में यह कटाक्ष सुना मगर उसे दिल पर नहीं लगाया। थैले को मज़बूती से पकड़ा और तेज़ क़दम उठाती वह आगे बढ़ी और मन-ही-मन बोली-ताल्लुक़ात बनाने का यह अन्दाज़ रिवाज पकड़ता जा रहा है। हाथ पकड़ पहुँचा पकड़ने की यह कोशिश कई बार मैं झेल चुकी हूँ। एक ख़ामोशी में हज़ार बला टाली जा सकती है। वरना डराने-धमकाने में यह किसी बाहरीवालों से कम नहीं है।

वह सिर झुकाए चलती रही। आगे बमों से खँडहर हुई ख़ानक़ाह इस दोपहर में भाँय-भाँय कर रही थी। उसी के गिरे मलबे पर वह जाकर बैठ गई ताकि टीसते पैर को कुछ राहत मिले।

'मीठे ठंडे तरबूज़ लोगी बीबी!' एकाएक सामने से गुज़रती गधा-गाड़ी के गाड़ीवान ने कहा और लगाम खींची।

'क्या भाव है?' उसने उसकी उम्मीद नहीं तोड़ी।

'बे-भाव है बीबी।' उसने लगाम खींची और सिर पर बाँधा साफ़ा खोल उसे हवा में झटका और चिपके बालों में उँगलियाँ फँसा वह एकाएक शरारत से मुस्कुरा पड़ा तो समीरा की रीढ़ की हड्डी सनसना उठी।

'अभी भी नहीं पहचानीं आप मुझे मैम?' उसने अंग्रेज़ी में कहा तो समीरा चौंकी, उसके नथुने फड़फड़ाए और दिल से जज़्बात का रेला उठा।

'मुस्तफ़ा?' समीरा की आँखें भर आई थीं, पता नहीं अपनी फ़क़ीरी पर या उसकी बदनसीबी पर!

'शागिर्द अपने उस्ताद को कभी नहीं भूलता...दूर से आपका चेहरा मेरे ज़हन में ऐसा कौंधा कि पहचानते देर न लगी और सबूत के तौर पर मैम आपका यह तिल।' वह मासूमियत भरे लहज़े में बोला।

'मैं सबसे सुर्ख़ और मीठा दाना आपके लिए उठाता हूँ।' यह कहकर वह गाड़ी से उतरा और पीछे पड़े तरबूज़ के ढेर से चुनकर एक दाना उठाया और चाक़ू से दो टुकड़े कर दिए। गर्दआलूद फ़िज़ा में तरावट भरी तरबूज़ की गन्ध फैल गई।

'इनकार न करिएगा...जी भरकर खाइए मैम ताकि मुझे...' इतना कहकर वह फफक पड़ा फिर आस्तीन से आँखें पोंछकर अचानक हँस पड़ा।

'मैम, शेक्सपीयर के किरदारों की तरह हमारे अन्दर बहुत-कुछ भरा है, हम ड्रामाई अन्दाज़ से बोलने, सोचने और रहने लगे हैं...मैम, यह टुकड़ा उठाएँ।' मुस्तफा ने फाँक काट उसके लाल हिस्से को इस नज़ाकत से छोटे टुकड़ों में काटा कि समीरा को उन्हें उठाने में सहूलियत हो। समीरा ने झिझककर पहले इनकार किया मगर उसका इसरार इनकार से ज़्यादा शदीद था।

मीठे रस से समीरा की ख़ुश्क ज़बान और हलक़ तर हो गए थे। भूख और प्यास ने तकल्लुफ़ की कमज़ोर दीवार ढाह दी थी।

मुस्तफ़ा उस छोटे-से तरबूज़ की क़ाशें काट रहा था। चुपचाप, मुतमईन और ख़ुश।

समीरा की आँखों के सामने अपनी अंग्रेज़ी भाषा साहित्य की बी.ए. क्लास उभर रही थी। वक़्त ने कैसे-कैसे पैंतरे बदले थे, अतीत के अँधियारे तहख़ाने एकाएक रौशन हो उठे थे। उसमें मुस्तफ़ा का बचपन तैर गया।

'यह छोटा-सा तोहफ़ा है मैम, साथ ले जाइएगा, इनकार मत करिएगा।'

इतना कह उसने दो तरबूज़ थैले में डाल आगे बढ़ाए, 'बाबा के खेत के हैं।'

इतना कह वह आगे बढ़ा और गाड़ी पर बैठ उसने गधे की पीठ पर हलकी साँटी जमाई फिर अलविदाई नज़रों से समीरा को इस तरह देखा जैसे उसके

गले में कुछ अटक गया हो और उससे निगला न जा रहा हो।

गधे के पैरों की बेतरतीब आवाज़ ईंटों और पत्थरों से बनी उस गली में काफ़ी देर तक गूँजती रही और समीरा को अतीत की यादों से निकालने में किसी बैसाखी की तरह मददगार साबित हुई।

मलबे के बीच बची गुम्बद में बसेरा लिये कबूतर और फ़ाख़्ताओं की आवाज़ें ज़िन्दगी की नब्ज़ बन धड़क रही थीं। वह उठी तो उसे अंगूर का ध्यान आया। उसने लिफ़ाफ़े को खोला। लिफ़ाफ़े में पड़े-पड़े अंगूर पिच से गए थे। उसने मुनासिब जगह देख अंगूर का ख़ोशा और चन्द मरे अंगूर उलट दिए। पलक झपकते ही परिन्दे जाने कहाँ से झुंड में आए और सब-कुछ चट कर गए। उसका दिल हलका हुआ। वह मुस्कुराती हुई उठी और अँधेरी पड़ती सीली गली को पार करने लगी।

समीरा जब घर पहुँची तो बुरी तरह थक चुकी थी।

लड़कियाँ जो भूखी और गुस्सा थीं, माँ के हाथों में दो तरबूज़ों को देखकर बिगड़ना-रूठना भूल गईं।

'आज मुस्तफ़ा मिला था...'

'सच?'

'घर क्यों नहीं लाईं उसे?'

'देखने में कैसा लग रहा था?'

'तुम लोग बेकार के सवाल कर रही हो, उम्मी इस क़ैदख़ाने में किसी को नहीं लानेवाली हैं।' सबा ने लैला के कान में कहा।

'वह अब गधा-गाड़ी पर तरबूज़ बेचता है और...'

'क्या?'

'सच कह रही हो उम्मी, मुस्तफ़ा और गधा गाड़ी?'

'उम्मी कभी-कभी हमें ख़ुश देखने के लिए सच्ची-झूठी कहानी सुनाना

चाहती है ताकि हम हँस सकें।' इतना कह सबा जोर से हँसी।

उसकी हँसी में ऐसा कुछ था जो बाक़ी बहनें भी खिलखिलाकर हँस पड़ीं। बनावटी हँसी अब असली क़हक़हों में इस तरह बदली कि निदा को उच्छू हो गया और उनको अपनी हँसी पर रोक लगाना पड़ा।

भटकते ज़हन के साथ समीरा बिस्तर पर आँख बन्द किए लेटी थी। बार-बार उसके दिमाग़ में बाज़ार का दृश्य उभर रहा था। ज़ैतून की वह बड़ी दुकान ऊपर से नीचे तक हरे-काले ज़ैतूनों की बन्द बोतलों से भरी थी। उसे ज़ैतून के बाग़ान याद आए, जैतूनों की महक उसके नथनों में गमकने लगी। उसकी आँखें मुँदने-सी लगीं और नींद में डूबने से पहले उसके ज़ेहन में एक पंक्ति थरथराकर ग़ायब हो गई-'कल हमारा क्या होगा?

तीन

अवाम को भयभीत करने के लिए फ़ौजी गाड़ियाँ और टैंक सड़क पर से गुज़र रहे थे।

फुटपाथ पर चलते राहगीर खड़े होकर तमाशा देखने लगे तभी राइफल लिये खड़ा एक सिपाही उत्तेजना से बोल उठा, 'वह...वह...देखो...अरबी टीचर जा रही है।'

'हाँ,' दूसरे ने गाल सहलाते हुए कहा।

फ़ौजी क़ाफ़िला आम आदमी को ख़ौफ़ज़दा करके गुज़र चुका था। फुटपाथ पर बोझिल क़दमों की रफ़्तार मामूल पर आ गई मगर मायूसी की भारी बेड़ियों के साथ। इस आमद व रफ़्त में समीरा भी शामिल थी जो आज काम ढूँढ़ने की गर्ज़ से निकली थी। कुछ नए ऑफ़िस और दुकानें लोगों ने खोली थीं। उन्हें अंग्रेज़ी और कम्प्यूटर जाननेवाले की सख़्त ज़रूरत थी। उसको सूचना इसी तरह की मिली थी, मगर अब वहाँ जगह भर चुकी थी और वह नाकाम लौट रही थी।

शहर का हाल ऐसा है कि अपने भी दरवाज़ा डरकर नहीं खोलते वरना घरेलू मदद की बहुतों को ज़रूरत है। एकाएक वह चलते-चलते रुक गई और खजूर के दरख़्तों की क़तारों को बेमक़सद खड़ी हो घूरने लगी।

नौकरी जाने के बाद उससे न चाहने के बावजूद ट्यूशन कराया गया था

फ़ौजियों को अरबी भाषा का सरल ज्ञान देने के लिए। तनख़्वाह अच्छी थी उसके साथ उसकी अपनी कुछ शर्तें थीं जो मान ली गई थीं। अब दिल की भड़ास निकालने के लिए वहाँ अनेक मौक़े थे। यूनिवर्सिटी में पढ़ानेवाली औरत अब कुंठा से भर ज़रा-सी उच्चारण की ग़लती पर ज़ोरदार चाँटा जवान फ़ौजियों के मुँह पर जड़ देती थी। शौहर का सियासी चेहरा और लड़कियों की बढ़ती उम्र की ज़ंजीर उसके क़दमों में न पड़ी होती तो वह यह नौकरी कभी न छोड़ती, भले ही वह उसकी रूह को नहीं भाती थी मगर तालीम तो वह अपनी भाषा की उन्हें दे रही थी पूरी तरबियत के साथ।

उस शाम चाँटा खाए सिपाहियों में से एक अगर सादे कपड़ों में उसका पीछा करता हुआ घर तक न पहुँचता तो शायद वह न मोहल्ला छोड़ती, न ही घर से भागती।

'तुम यहाँ किसलिए?' उसने पलटकर पूछा था।

'ऐसे ही मैम!' जवान सिपाही सिटपिटा गया था। उसे तो ख़ुद भी नहीं मालूम था कि वह उसके पीछे-पीछे चलता हुआ यहाँ तक क्यों आ गया था?

'मैं तुम्हारी शिकायत कर दूँ तो?' उसने तेवरी पर बल डालकर कहा था।

'नहीं मैम, सच आज तक मुझे किसी ने इस तरह मारा न था। मेरी माम ने भी नहीं, बस और कुछ नहीं।' उसने हकलाकर कहा। उसकी नीली आँखों में मासूमियत थी।

'इस तरह निकल कैसे पाए?' समीरा ने अपनी हँसी दबा पूछा।

'सॉरी, मैंने कहा मैम ने बुलाया है।' और वह इतना कहकर तेज़ी से मुड़ा और किसी पोनी की तरह एक ख़ास अदा से सड़क पार कर गया।

यादों से निकल समीरा ने लम्बी गहरी साँस ली और नाउम्मीदी से अपनी उँगली में पड़ी अँगूठी को ताका। वहाँ अँगूठी नहीं उसका भ्रम था। एक मिटता हुआ निशान।

समीरा जब घर के चौखट पर पहुँची तो बेहाल-सी सीढ़ियों पर बैठ गई।

उसका दिल उस शेर की माँद में जाने का न हुआ, जहाँ उसने अपने बच्चे छुपा रखे थे।

सूरज डूबनेवाला था। आसमान कई तरह की रंगत में रँग चुका था। हवा नर्म थी मगर शाख़ पर कोई पंछी नहीं चहचहा रहा था। बिल्ली की मियाऊँ तक को सुनने के लिए दिल तरस गया था। लड़कियों के साथ पार्क में गए हुए अरसा गुज़र गया और किसी को खाने पर बुलाने की इच्छा कब की मर चुकी थी।

उसकी आँखों के सामने उसका अपना घर उभरा। किचन व्यंजनों की ख़ुशबू से भरा और मेज़ तरह-तरह के खानों से सजी, हँसते लोग, ख़ुश होती वह ख़ुद, अलबनाही का हर क़दम जो पहले एक नई कामयाबी की तरफ़ बढ़ता महसूस होता था आज हालात के बदलने से उसका हर काम, हर फ़ैसला ग़लत साबित होता चला जा रहा है। यह कैसा इन्साफ़ है वक़्त का? उसने गहरी साँस ली और अँधेरे में डूबते आसमान को ताका।

लड़कियाँ सिर जोड़े अपने में व्यस्त थीं।

उसके लाख मना करने के बावजूद वह एक-दूसरे के हाथों और पैरों के साथ अब भँवों को शेप देने और होंठों के ऊपर के बालों के सुनहरे गुबार की भी थेरेडिंग करने लगी थीं।

वह चुप रही। अकेले सारा दिन गुज़ारना और पहाड़-सी रात को सहना किसी भी शख़्स के लिए मुमकिन नहीं फिर ये तो कम-उम्र लड़कियाँ हैं जो स्कूल में हॉकी, बैडमिंटन और बास्केट बाल खेलने के बावजूद घर में कभी बैठती न थीं और अब...

वह किचन में गई। गैस का पाइप लाइन कनेक्शन कटा नहीं था। उसने शुक्र अदा किया और बचे चावल को उबालने के लिए चढ़ाया।

उसे अलबनाही की याद शिद्दत से आई।

जब वह हाल में पहुँची तो लड़कियों को गुनगुनाते पाया।

साजदा और वफ़ा पैर फैला एक–दूसरे के तलवों से तलवा मिला साइकिल चला रही थीं। दूसरी तरफ़ लैला और सबा भी इस खेल में व्यस्त थीं। नेदा इनके बीच में कभी इधर कूदती तो कभी उधर लाँघती।

माँ को कमरे में खड़ा पाकर वह रुक गई।

'या उम्मी, आओ न,' नेदा उछलकर माँ के पास पहुँची और उसका हाथ पकड़ खींचने लगी।

'उम्मी, आज तुम्हें एक कहानी सुनानी पड़ेगी वरना...' सबा ने कहा।

'नहीं उम्मी, आज अनतरा के प्रेमगीत तुम गाकर सुनाओगी।' साजदा ने घुटनों के बल खड़े होकर माँ की कमर के गिर्द अपनी बाँहें लपेटते हुए कहा।

'अनतरा का इश्क...तुम कहीं अपने को उसकी महबूबा 'अबला' तो नहीं समझती हो।' सबा ने बहन को छेड़ा।

'सुनाऊँगी, आज रात जी भरकर गाऊँगी मगर अभी चलकर खाना खाओ।'

'यस माई डियर उम्मी दी ग्रेट! लुई फोर्थ का दस्तरख़्वान तैयार है और कुइन एलिज़ाबेथ की स्वीट डिशें और...'

'बस, बस, ज़्यादा उड़ने की ज़रूरत नहीं है।' सबा को बीच में टोकती हुई समीरा हँस पड़ी।

चावल में स्वाद हो या न हो मगर ख़ुशबू थी। और अब तो इस फीके उबले चावल में छुपा स्वाद भी उन्होंने खोज लिया था। इसलिए सब बड़े चाव से खा रही थीं।

'उम्मी, तुम खाना पकाना भूली तो नहीं हो न?' लैला बोली।

'नहीं।' समीरा ने गर्दन हिलाई।

'दजला में तैरती मछलियों को अंगारों पर उसी तरह भूनकर नमक–नीबू के साथ हमें खाने को दोगी न?' वफ़ा ने शक दूर किया।

'हाँ।' समीरा अरसे बाद खिलखिलाकर हँस पड़ी।

'कोंहड़े और आलू की सब्ज़ी की तरह दूसरी सब्ज़ियाँ भी पहले की तरह मज़ेदार बनाओगी न?' नेदा ने पूछा।

'हाँ, भई हाँ, ज़ैतून डाल सलाद भी बनाऊँगी और सूप भी, केक और पेस्ट्री भी, वह सब-कुछ जो तुम सबको पसन्द है।'

'तब हमारे घर बाज़ार का खाना नहीं आएगा।' सबा ने प्लेट पर चमचा बजाते हुए कहा।

रसोई का काम निबटाकर सब हाल में जमा हो गईं।

इस वक़्त रात घर के बाहर पंख पसारे बैठी होगी। आसमान पर चाँद भी उगा होगा और बेशुमार तारे भी। हवा शाख़ों से छेड़छाड़ भी कर रही होगी, वहाँ वह सब-कुछ चल रहा होगा जो हसीन और दिलकश रातों में घटता है!

लेकिन इस कमरे की रात का आसमान भी कम ख़ूबसूरत न था...जहाँ एक साथ कई चाँद उगे हुए थे और दिल के साज़ पर अनतरा के कहे विरह गीत समीरा के दिल का बयान बन कमरों की दीवारों से टकराकर अजीब समाँ बाँध रहे थे।

आधी रात के लगभग कलस्टर बमों के धमाके कानों के पर्दे फाड़ने लगे। वह बदहवासी से गिरती-पड़ती लड़कियों की तरफ़ लपकी और कमरे में पहुँच उसने पाँचों को अपनी दोनों बाँहों में भर लिया जैसे अब बम का कोई टुकड़ा उन्हें छू नहीं सकता है। उनका रोना, लरज़ना सब-कुछ शोर में डूब चुका था। लग रहा था कि ज़लज़ले की तरंगें उनके घर के नीचे से गुज़र उसे उखाड़ने पर तुली हैं।

ज़मीन में गहरा शिगाफ़ किसी अन्धे कुएँ की तरह उन्हें आग़ोश में ले रहा है और वह...वह...सब नीम मुर्दा-सी एक-दूसरे पर गिरी पड़ी थीं।

चन्द लम्हे बाद तूफ़ानी शोर कम ज़रूर हो गया था।

कान में दिल की धड़कन अभी भी नगाड़े बजा रही थी।

माँ ने जब अपनी पकड़ ढीली की तो आँसू और पसीने में नहाए उनके चेहरे पर एक हैरतज़दा हँसी उभरी अपने बच जाने की, मौत के टल जाने की ख़ुशी में। यह घड़ी उन्हें अजीब तरह से एक-दूसरे के इतनी क़रीब ले आई थी कि उनके दिल की धड़कन एक हो गई थी। वे एक-दूसरे को छू रही थीं। मुस्कुरा रही थीं। प्यार कर रही थीं। उनके बदन धीरे-धीरे अपनी पहली अवस्था में आ रहे थे। डर से निचुड़ा ख़ून दोबारा उनकी शिराओं में दौड़ने लगा।

एकाएक नेदा की आवाज़ कमरे में लहराई-'या उम्मी, मुझे भूख लगी है।'

'भूख?' पास लेटी उसकी बहन साजदा ने ताज्जुब से कहा फिर अँगड़ाई ले उसने थके बदन की सुस्ती तोड़ी।

'जब भूख-प्यास मरने का वक़्त होता है तब इसकी भूख जाग उठती है,' वफ़ा को बहन की मासूमियत पर हँसी आ गई।

'या उम्मी! उठो, कुछ खाने को दो न।' नेदा ठुनकी मगर माँ उसी तरह लेटी रही। उसके दिमाग़ में सवाल था कि इस बमबारी में और कितने लोग चले गए।

अब सभी के दिल में यह जानने की बेचैनी थी कि उनके प्यारे शहर बग़दाद पर क्या गुज़रा? टी.वी. बिक चुका था। रेडियो ख़राब था। खिड़कियों के पल्लों पर कीलें ठुकी हुई थीं। बाहर की दुनिया से उनका रिश्ता लगभग कटा हुआ-सा था।

'या उम्मी, सुन रही हो...मुझे कुछ खाने को दो।' इस बार नेदा ने माँ का बाजू हिलाया।

माँ ने बेटी के चेहरे को देखा। सीने से लिपटा नेदा के सुनहरे घुँघराले बालों को पीछे किया और ग़ौर से उसका मासूम चेहरा देखने लगी। मन-ही-मन कह उठी-

वही चेहरा, वही रंगत, वही आँखें, वहीं होंठ और वही नाक, वही खाने का शौक़!

बेटी माँ के इस तरह घूरने से चिढ़ गई और उनकी पकड़ से अपने को छुड़ाते हुए बोली, 'उम्मी, तुम कहाँ खोई हो, वापस आओ।'

'नेदा!' लैला की आवाज़ आई।

लैला बहन की ज़िद सुनकर किचन की तरफ़ बढ़ी। लैला बासी कुब्बा पर मक्खन लगा रही थी, जिसको बहन की तरफ़ बढ़ा कर उसने बिना दूध की चाय को केतली से नन्हे गिलासों में उँड़ेला। नेदा ने रोटी का वह टुकड़ा मुँह की तरफ़ ले जाते हुए बहन के सूखे होंठों की तरफ़ देखा और रुक गई।

'तुमने खाया?'

'नहीं,' लैला ने सिर्फ़ गर्दन हिला इनकार किया और चाय का गिलास उसे थमाते हुए वह सेनी पर भाप उड़ाते फ़िनजानों को लेकर किचन से बाहर निकली।

चाय का रंग नए टपके खजूर की तरह कत्थई था। उसकी गन्ध कमरे की फ़िज़ा को मोअत्तर कर गई। छोटी प्रिच पर टपकी चाय को सबने देखा। खुलूस और प्यार का यह अन्दाज़ हमेशा की तरह सबका मन हलका कर गया। एक साथ कई हाथ उठे और ख़ाली सेनी मेज़ के किनारे रख लैला कमरे की बाईं तरफ़ की खिड़की से टिककर खड़ी हो गई। उसने अपने सफ़ेद हाथों की नाज़ुक उँगलियों से पर्दा हटाया और चौखट की बारीक दरार से उसने बाहर झाँका।

बाज़ार में चहल-पहल थी। धूप छिटकी हुई थी। बैग की दुकान से ग्राहक आ-जा रहे थे। यही दृश्य था जो रोज़ बारी-बारी से सारी बहनें अपनी मर्ज़ी से दिल बहलाने के लिए देखती थीं। लैला धीरे-धीरे गर्म चाय का घूँट भर रही थी। उसे अपने स्कूल के दिन याद आ रहे थे। सुबह की ताज़ा हवा, नर्म धूप और खिले गुलाब के पीछे नख़लिस्तान के न ख़त्म होनेवाले झूमते खजूर के दरख़्त। स्कूल के ग्राउंड में फुटबॉल खेलते हुए फुर्तीले पैर जो अब इन चार कमरों के घर में सिर्फ़ चहलक़दमी करते हैं। दबे पाँव बिल्ली की तरह चलने की उन्हें इजाज़त है, उसने गहरी साँस ली और गर्म चाय का घूँट भरा और ख़ाली फ़िनजान को उसने हथेली की दुनिया में क़ैद

कर लिया फिर बन्द मुट्ठियों से सूराख़ बना उसने गहरी लम्बी साँस ली। चाय, पुदीने के इत्र में बसी चाय की गन्ध। शायद ही वह फिर पी सके, डिब्बे में चाय का चूरा झाड़ उसने चाय बनाई थी। उसने अपनी लम्बी सीप के आकारवाली आँखें घुमाईं और माँ के चेहरे को ताका जिस पर फ़िक्रों के बावजूद उम्मीद की चाँदनी छिटकी हुई थी।

'क्या सोच रही हो, उम्मी?' लैला खिड़की से हटकर माँ के पास आकर खड़ी हुई फिर फ़िनजान ट्रे में रख वह दो ज़ानू बैठ माँ के दोनों हाथों को चूम उन्हें आँखों से लगाकर गुनगुनाती-सी आवाज़ में पूछने लगी।

'सोच रही थी, वक़्त किस ख़ामोशी से गुज़रता है और हम...' इतना कह वह चुप हो गई। बाक़ी बातें उनके लरज़ते होंठों ने कह दीं :

'सब-कुछ बदल जाएगा, उम्मी!'

'पहला जैसा तो कुछ नहीं लौटेगा।' आवाज़ में हौसले की लरज़िश को सँभाल माँ ने कुछ इस अन्दाज़ से कहा जिसमें उम्मीदों की चहचहाहटों ने दूर खड़ी साजदा को चौंकने पर मजबूर कर दिया जो हसरत से भरी आँखों से अपने हाई-हील सैंडिलों को देख रही थी। उसने अलमारी का दरवाज़ा बन्द किया और नंगे फ़र्श पर चलती हुई माँ के पास जाकर खड़ी हो गई।

सबा जो आईने के सामने खड़े होकर अपने दिलकश बदन के उभारों को ग़ौर से देख रही थी, उसके ज़हन में सालिम का ख़्याल उभर रहा था। वह कहाँ होगा? जंग पर...जंग से लौटा होगा या फिर...उसने घबराकर अपने बदन पर खरोंचती हुई नज़र डाली और अपने चेहरे को चूमा। फिर आईने पर अपना गाल रख दिया। उसकी आँखें बन्द थीं। बन्द आँखों की झील में कँवल की तरह सालिम का चेहरा तैर रहा था। गुलाबी रंग, सुनहरे बाल और लाल होंठों के बीच चमकते मोती जैसे दाँत। उसे याद आया, मोहल्ले से जब उनकी कार मुड़ी थी तो उसने धीरे से कहा था...

'इन्तज़ार करना...मिलेंगे हम ज़रूर!'

'तुम्हें क्या हुआ है?' वफ़ा ने सबा को हल्के-से थपका।

'ओह! डरा दिया!' घबराकर सबा ने आँख खोली।

'आँखों के ख़ुमार से तो नहीं लगता तुम डरी हुई हो, वहाँ तो रूमानी धुन्ध छाई है, जैसे तुझे कोई देखने आनेवाला हो।' वफ़ा ने उसे छेड़ा।

'क्या ऐसा हो सकता है?' उसे अच्छा तो लगा मगर यक़ीन नहीं आया।

'क्यों नहीं, बहुत-कुछ हो सकता है।' वफ़ा उसकी खिंचाई में लुत्फ़ लेने लगी।

'तुम दोनों यहाँ क्या कर रही हो?' नेदा उछलती हुई कमरे में दाख़िल हुई। दोनों को हँसता-मुस्कुराता देख ठिठक गई।

'भूख लगी है?' सबा हँसी।

'लगी होगी।' वफ़ा ने संजीदगी से कहा तो मगर लहज़े के मज़ाकिया अन्दाज़ को नहीं दबा पाई और नेदा बुरा मान बैठी।

'या उम्मी!' नेदा माँ को पुकारती उलटे पैरों लौटने लगी तो बहनें उसके पीछे हो लीं। जहाँ माँ और बाक़ी बड़ी बहनें कुछ तलाश कर रही थीं।

'उम्मी, यह कैसा रहेगा?' लैला ने अन्दर अलमारी के कोने से काग़ज़ में लिपटा गुलदान निकाला।

'सजावट की चीज़ें इन दिनों कौन ख़रीदेगा?' माँ की फ़िक्र में डूबी आवाज़ उभरी।

'यह कपड़े...यह चादर?' साजिदा ने क्रोशिया की बुनी चादर खोल उसे पूरी तरह फैलाते हुए कहा।

'उम्मी, वह क़ालीन...जानमाज़।' वफ़ा ने कुछ याद करते हुए कहा।

'लाओ, ज़रा देखूँ तो!' याद करती माँ बोली तो वफ़ा उलटे पैर कमरे से निकली।

'उम्मी, यह सोने की ज़ंजीर!' नेदा ने गले में पड़ी चेन दिखाते हुए माँ से पूछा।

'इसको रहने दो, पहले उन चीज़ों को निकालना है जिनके बिना हम काम

चला सकते हैं!'

'काश! उम्मी, हम घर से चलते हुए और सामान ले आए होते!' साजदा ने उदासी से कहा।

'हाँ, काश! ऐसा कर पाती।' माँ ने उदासी से कहा और नेदा के गले में पड़ी ज़ंजीर को छूते हुए बड़े दुलार से बोली, 'यह क़ीमती है फ़ौरन बिकनेवाली चीज़, इसको तब बेचेंगे जब...' अपनी बात अधूरी छोड़ वह वफ़ा के हाथों पकड़ी क़ालीन को देखने लगी। यह उसके मरहूम शौहर की जानमाज़ थी जिसको खोलते ही साजिदा पहचान गई मगर चुप रही, शायद लैला ने भी पहचान लिया हो।

माँ चुपचाप नारंजी रंग की बुनावटवाली उस ख़ूबसूरत जानमाज़नुमा क़ालीन को देखती रही। जैसे दिल-ही-दिल में फ़ैसला ले रही हो कि उसकी यह निशानी रखी जाए या...

तीनों छोटी बहनें दूसरे कमरों में कुछ ढूँढ़ने के लिए बाहर निकलीं और उन तीनों को उस क़ालीन पर आँख गड़ाए छोड़ गईं।

'उम्मी, यह रहने दो...कुछ और...' साजदा ने माँ के चेहरे के बदलते भाव को पढ़कर कहा।

'हाँ,' लैला ने माँ के दुख की आँच को महसूस करते हुए कहा। कुछ लम्हे ख़ामोशी रही।

'माँ, कुछ खाने को दो।' माँ के कानों से नेदा की आवाज़ टकराई और वह चौंक पड़ी। बेटियों को इस तरह देखा जैसे कह रही हो कि याद और भूख में से किसी एक को चुनना होगा।

माँ के चेहरे पर पुरउम्मीद मुस्कान उभरी तो दोनों बेटियों ने राहत की साँस ली और डेढ़ गज़ लम्बी क़ालीन को बड़ी नफ़ासत और मुहब्बत से गोल-गोल तह करने लगीं।

सुबह-सुबह माँ ने बाहर जाने की तैयारी कर ली। छींटदार चादर से झाँकता

उसका चेहरा बहुत मासूम लग रहा था। आँखों में गहरा काजल और शोख़ लिपस्टिक रँगे होंठ उसे उम्र से लगभग दस साल कम दिखा रहे थे। उसने ग़ौर से माँ का बदन देखा। वह चुस्त था।

'माँ को जब कुछ बेचना होता है तो वह इसी तरह सज–धजकर निकलती हैं ताकि क़ीमती सामान देख चोरी का इल्ज़ाम न लगा दिया जाए और...' लैला चिन्ता से भर उठी।

माँ के पैरों पर साजदा की नज़रें चिपक गईं। जहाँ फटी चप्पलों की जगह आज लाल नाख़ूनों पर सुनहरे सफ़ेद पट्टों की पेंसिल हील थी। माँ की घिसटती चप्पलों की भद्दी आवाज़ की जगह खटखट की ध्वनि सुन उसके दिल में हूक–सी उठी। अपनी जवान माँ की इस हालत पर उसने लम्बी सर्द आह खींची। आँखों के सामने आर्ट कॉलेज की राहदारी उभरी। पेड़ों से छनते धूप के चकत्तों की बेलबूटेवाली चादरों पर उसका तेज़ी से खटखट कर गुज़रना सभी जवानों को एक साथ मुड़कर देखने पर मजबूर करता था। वह कपड़े, वह माहौल, वह क़हक़हे कहाँ गुम हो गए? उसकी आँखों में दिल का दर्द पानी बन छलका मगर आदत के मुताबिक़ उस नमकीन घूँट को वह शरबत समझकर पी गई। चौंकी वह तब जब माँ ने जाते हुए उससे नेदा के गले की ज़ंजीर की जगह जानमाज़ मँगवाया।

माँ को क़ालीन थमाते हुए साजदा को महसूस हुआ जैसे अबु को वह एक बार फिर से अलविदा कह रही हो।

समीरा एतमाद से भरी घर से बाहर निकली। रौशनी का तिकोन घर में घुसा और दूसरे पल ग़ायब हो गया। साजदा अनमनी–सी जाकर बेंच पर औंधी लेट गई और दोनों पैरों को घुटने के ऊपर उठा उन्हें आहिस्ता–आहिस्ता हिलाने लगी।

उम्मी इस तरह अकेले ऐसे ख़तरनाक माहौल में बाहर निकलती है ठीक उस चिड़िया की तरह जो अपने बच्चों के लिए चुग्गा लेने जाने कहाँ–कहाँ उड़ती फिरती है। अगर...अगर...न मेरी उम्मी के साथ ऐसा नहीं होगा।

साजदा अपने घबराए दिल को दिलासा देती फिर एक भरपूर अँगड़ाई ले उठ बैठती जैसे सारी निराशा और थकन को उसने निचोड़ फेंका हो।

'लैला...' वह पुकारती और बहनों के आने पर उनसे पूछती, 'अब ऐसा क्या किया जाए जिससे बोरियत दूर हो!'

'मुझे लगता है साजदा तुम मेरे लिए गैस पर पानी गर्म करो ताकि मैं नहा सकूँ।' वफ़ा ने साजदा को चिढ़ाया।

'अगर तुम मेरे कपड़े धोने का वायदा करो तो मैं राज़ी हूँ।' साजदा ने जाते हुए कहा।

'बिल्कुल नहीं, मैं ख़ुद अपना काम कर लूँगी।' वफ़ा ने उसे रोकते हुए कहा।

'हमसे दादा और दादी मिलने क्यों नहीं आते न मजीद चचा न हुमेरा फूफी और सुफ़ैरा फूफी...क्यों?' नेदा ने अपना सवाल कई बार दोहराया। मगर किसी ने नोटिस नहीं ली।

'चलो, स्पेलिंग गेम खेलते हैं।' सबा ने कहा।

'ठीक है, कम-से-कम हमारी अंग्रेज़ी का अभ्यास तो चलता रहेगा।'

'दुश्मन की ज़बान सीखना बहुत ज़रूरी है, अबु कहते थे।' लैला ने कुछ याद करते हुए कहा।

चारों बहनें स्क्रेबिल के आमने-सामने बैठ गईं। नेदा को जज बनाकर खेल शुरू हो गया। दबी-दबी हँसी, बहस और लड़ाई। रूठना-मनाना पूरी दोपहर जारी रहा और अब नेदा को कस के भूख लग चुकी थी और घर में उसे देने के लिए कुछ भी नहीं था।

चार

माँ का असली नाम समीरा था। सोलह साल का विवाहित जीवन सुखी था। पाँच लड़कियों के बाद भी वह ख़ुश थे। अलबनाही बीमार तब पड़े जब बग़दाद के बारूदी माहौल में उनका दबा हुआ दमा ऐसा उभरा कि सँभाले न सँभला। पाँच वर्ष की लम्बी बीमारी, आर्थिक नाकाबन्दी और बेकारी। शुरू में सब-कुछ हँसते-खेलते सहती गई मगर विदेशी फ़ौजी दस्तों और गिरते बमों के बीच कोई कैसे सहज रह सकता है। औरतें और मर्द समय से पहले बूढ़े हो रहे थे और वह भी तो, बत्तीस वर्ष की विधवा। यह हालात न होते तो माँ-बाप उस पर दूसरी शादी का ज़ोर डालते। आख़िर जवान विधवा 'फ़ितना' होती है। आगे-पीछे घूमनेवाले उसे शौहर का ग़म भी नहीं मनाने देते। इसीलिए विधवा की दूसरी शादी इराक़ी समाज में ज़रूरी है मगर ऐसी हालत में...ऐसी हालत में ही तो घर के रक्षक की ज़रूरत पड़ती है। बिना छत की दीवारें घर नहीं कहलातीं।

माँ-बाप बसरा की बमबारी में मर गए। अपना घर भी मलबे में बदल गया। मायका छूटा तो ससुराल में कौन बचा सिर्फ़ चचा। बाक़ी सब नज़र हो गए बमों की बारिश की या विदेश जा बसे।

चचा का यह पुराना घर है जहाँ समीरा ने अपने बीमार शौहर और जवान होती बेटियों के साथ दो साल पहले पनाह ली थी। उसका फ़्लैट तो बग़दाद के फैशनेबिल इलाक़े में था। पुलिस और फ़ौजी जवानों से बचने के लिए

वह इस मोहल्ले में आई थी ताकि किसी को पता न चले कि वे कौन हैं और उनकी जवान होती लड़कियाँ भी हैं वरना अलबनाही के साथियों के ख़ानदान की तरह वह भी न बच पाते। पुरानी सरकार के लोगों को चूहे के बिलों से निकालने की दीवानगी जारी थी।

घर की सारी खिड़कियाँ एक-एक करके बेच डालीं और बदले में लकड़ी के पट्टों पर कीलें गाड़ दीं। लड़कियों को घर से निकले, चमकीली धूप देखे डेढ़ बरस से ज़्यादा हो गया है। शुरू-शुरू में दूध, रोटी लेने साजदा और लैला चादरों में लिपटी बाहर बाज़ार तक हो आती थीं मगर एक-दो दुर्घटना जो शहर में घटी तो अलबनाही ने लड़कियों के बाहर निकलने पर पाबन्दी लगा दी थी। वतन पर क़ाबिज़ विदेशी सड़कों तक ही बर्दाश्त किए जा सकते हैं, मगर घर की चौखट पार कर घर में दाख़िले की उन्हें इजाज़त देना हिमाक़त है। कलेजे में लगे ज़ख़्म को नासूर नहीं बनने देना है। जो औरतें बेपर्दा घूमती थीं वह भी काली चादरों में छिपी नज़र आतीं।

समीरा गरग़ाज़ चादर में लिपटी, बग़ल में क़ालीन का रोल दबाए तेज़ी से फुटपाथ पर पैर जमाती पुराने क़ालीन मार्केट की तरफ़ बढ़ रही थी। इस बीच उसकी चादर कई बार सिर से ढलकी और पैर के नीचे चादर का कोना दबने की वजह से वह गिरते-गिरते बची।

धूप की गर्मी बढ़ गई थी। पैदल चलने की आदत न थी। बाग़ में सुबह की सैर पर जाना अलग बात थी तब बढ़ते वज़न को क़ाबू में रखना था वरना फल, सूखे मेवे, लज़ीज़ खाने खा-खाकर कौन मस्त न रहता, मगर अब मजबूरी थी। एक वक़्त का खाना और लगातार हवा में घुले बारूदी कणों को साँस के ज़रिए अन्दर खींचना था।

दो किलोमीटर चलकर समीरा की साँस फूलने लगी। वह मार्केट के बाहर बनी फूलों की क्यारी के सामने पड़ी बेंच पर सुस्ताने के लिए बैठ गई। क्यारी सूखी थी। उसमें कूड़ा भरा था।

रास्ते में कई चौराहे पड़े, मगर हर चौराहा मुजस्समे से ख़ाली था। अपना शहर...खो गया कहीं! उसने आह भरी और बेंच से उठकर अपने को सहज

बनाया और चेहरे पर एक उदास मुस्कान के साथ वह बाज़ार में दाख़िल हुई।

इस बीच कई बार घबराहट में उसकी चादर सिर से सरकी और एक बार उसने झुँझलाकर दोनों हाथों से चादर झटककर बड़े एहतियात से अपने चारों तरफ़ लपेटा फिर दाहिने हाथ से क़ालीन का रोल पकड़ वह तेज़ी से आगे बढ़ी।

अपनी ज़िन्दगी से थके दुकानदारों ने समीरा को पूरी तरह भर आँखों से देख लिया था। एक अधेड़ उम्र के दुकानदार ने सामनेवाले को आँख मारी तो उसने गर्दन हिलाकर इनकार किया। यानी कि यह औरत बाज़ारू नहीं है।

समीरा पूरी गम्भीरता ओढ़े चन्द क़दम जाकर रुकी और एक दुकान के सामने रुक धीरे से 'मरहबा' कहा। दुकानदार ने तपाक से सलाम का जवाब दिया और हाथ बढ़ा दुकान में दाख़िल होने की दावत दी।

'एक क़ालीन...' झिझकते हुए समीरा ने रोल को दुकान में दाख़िल होते ही खोला।

'सुब्हानअल्लाह!' दुकानदार ने जेब से पड़े चश्मे को आँखों पर लगाकर कहा फिर पीछे उसकी बुनावट का मुआयना किया।

'अज़ीज़ है... क़ीमती भी...मजबूरी न होती तो...' कुछ दुख कुछ मोलभाव वाले लहज़े से समीरा ने कहा और क़ालीन पर हल्के से हाथ फेरा। महसूस हुआ रोओं में उसके शौहर के बदन का लम्स छुपा है। सीने पर घने बाल, कोहनी से कलाई तक बालों से भरा हाथ और जब बीमारी की वजह से दाढ़ी न बनाता तो गोल-गोल सुनहरे भूरे बाल...कभी देखा-सुना है कि किसी मर्द की दाढ़ी के बाल घुँघराले हों...मगर अलबनाही के थे। मुलायम, किसी ख़रगोश की पीठ की तरह रेशमी बाल।

एकाएक वह इतनी जज़्बाती क्यों हो रही है?

वह यहाँ सौदा करने आई है, दिल का दर्द कहने नहीं।

उसने अपनी सुराहीदार गर्दन झटकी तो चादर फिसलकर उसके कन्धों पर अटकी और फिर उसके उभारों से फिसल नीचे, उसने यह जानबूझकर नहीं किया था। एकाएक हो गया। चादर ओढ़ने की उसे आदत कहाँ थी। उसने हड़बड़ाकर चादर उठाई और सिर पर रख आगे से लपेट कोनों को दाहिने बाज़ू में खोंसा।

'इसकी क़ीमत होगी...दस हज़ार रियाल?'

'सिर्फ़ दस हज़ार रियाल?' न चाहने के बावजूद समीरा की आँखों में आँसू भर आए। चेहरा उतर गया और दूसरे ही लम्हे तमतमा उठा। अपमान से या फिर...

'बाज़ार का हाल पतला है...' अकबकाकर दुकानदार बोला। वह समीरा के हावभाव से समझ चुका था। अच्छे-अच्छे घरानों का हाल ख़राब था। पिछले कई वर्षों से आर्थिक नाकाबन्दी और अब जंग ने सबको तबाह कर रखा है। क़ालीन की तिजारत भी अब पहली जैसी कहाँ रह गई है, यह दुखड़ा सुनाकर क्या मिलेगा। हमारे हाथों के हुनर के सामने मशीनी सस्ती क़ालीनें अपना बाज़ार तेज़ी से पैदा कर रही हैं और...

'ठीक है।' समीरा के इस तरह कहने से दुकानदार का सोचना थम गया। अभी समीरा ने ग़ालीचे को आधा ही मोड़ा था कि वह कह उठा।

'दस दुकानों पर भटकने से कहीं अच्छा है कि इस क़ीमत को स्वीकार कर लें, मैं ज़्यादा-से-ज़्यादा इसकी कीमत पन्द्रह हज़ार रियाल दे सकता हूँ और दावे के साथ कह सकता हूँ कि इतनी क़ीमत आपको पूरे बाज़ार में कहीं नहीं मिलेगी।' दुकानदार का नर्म स्वर अन्त तक आते-आते फ़ैसलाकुन-सा हो गया।

समीरा कुछ देर उस ग़ालीचे को देखती रही जो उसने अपने शौहर के लिए उसकी सालगिरह के दिन ख़रीदा था। तब इसकी क़ीमत लाख रियाल थी। समय के साथ क़ालीनों के दाम बढ़ते हैं। घटते नहीं हैं। वह पसोपेश में पड़ी कुछ देर गुमसुम खड़ी रही फिर गर्दन हिलाकर उसने अपनी रज़ामन्दी दे दी। और दोनों हाथ समेटकर उसने चादर को इस तरह अपने चारों तरफ़

कसा जैसे वह अपने को ख़ेमे में सुरक्षित करना चाह रही हो। दुकानदार ने क़ालीन का गोला किनारे खड़ी क़ालीनों पर टिकाया।

'क़हवा!' पास आ खड़े लड़के ने उसकी तरफ़ सेनी बढ़ाई।

'न,' उसने दाँत भींचे और होंठ पर होंठ जमा सिर्फ़ गर्दन हिलाकर इनकार किया तो चौंककर दुकानदार ने उसके चेहरे को घूरा। कुछ पल नज़रें चेहरे पर जमीं रहीं जैसे वह किताब पर लिखी इबारत को पढ़ना चाह रहा हो फिर कुछ झुँझलाया-सा जेब में हाथ डाल कुछ ढूँढ़ता रहा फिर आगे बढ़कर उसने कैश पेमेंट का डेस्क खोला और नोट निकालकर गिनने लगा।

'यह रहे आपके रियाल!' दुकानदार ने कहा।

'जी,' समीरा चौंकी। नोटों को कुछ पल निहारती रही फिर एक नज़र कोने में रोल हुई क़ालीन को बड़ी हसरत से देखा और रुपए लेकर तेज़ी से पर्स में डाला।

'गिन तो लेतीं।' दुकानदार अचकचाकर बोला।

समीरा तेज़ी से मुड़ी और बिना सलाम, शुक्रिया के वह दुकान से बाहर निकल गई। जिस रास्ते वह आई थी उसी रास्ते वापस लौटी। दुकानदारों को इन्तज़ार था उसके चेहरे को देखने का मगर तेज़ चलती हुई उस औरत का न चेहरा चादर से दिखा और न ही बदन।

समीरा पुराने बाज़ार से निकलकर उसी बेंच पर आकर बैठ गई। चादर से मुँह छिपाकर जी भरकर रोई। हफ़्तों से वह रोना चाह रही थी, मगर मौक़ा नहीं मिल रहा था। आज उसने दिल के बाँध को खोल दिया था। शौहर की आख़िरी निशानी भी बेच दी थी।

समीरा ग़मगीन होने के बावजूद मुतमईन थी। उसने भारी पर्स को थपका। लड़कियों की पसन्द की चीज़ें लीं, सामान से भरे थैले लेकर जब घर के दरवाज़े पर पहुँची तो उसका चेहरा ख़ुशी से दमक रहा था। लड़कियों को जैसे उसके आने का इन्तज़ार था। पल भर बाद ही दरवाज़ा खुल गया। बढ़े

हाथों ने थैले पकड़े और फलों वाले थैले से लैला ने अंगूर का दाना निकाल मुँह में डाला। दूसरी बहनें कब पीछे रहनेवाली थीं। एक-एक अंगूर करके सारा ख़ोशा खाली हो गया। तभी दरवाज़े पर हलकी-सी थाप सुनाई पड़ी।

'कौन?' समीरा की तेवरियों पर बल पड़ गए। आज दो दिन बाद खाने का सामान घर में आया था। भूख सबको व्याकुल किए हुए थी। दो दिन की छुट्टी ने समीरा को मजबूर कर दिया था वरना...इस बार घंटी बजी।

घंटी आशना थी। समीरा ने पहचानकर गर्दन को हलकी-सी जुम्बिश दी और कमरे का दरवाज़ा बाहर से बन्द कर वह आगे बढ़ी और झट से दरवाज़ा खोल दिया, ताकि लम्बी घंटी की किर-किर आवाज़ से निजात मिले।

'तुम!'

'मैं, आज ही लौटा हूँ साल भर बाद कनाडा से, दोबारा ड्यूटी ज्वाइन करने।'

'वहीं रह क्यों नहीं गए? तुम्हारा कोई परिवार नहीं है क्या?'

'है...मगर यहाँ मेरी ड्यूटी है।'

'मुझे कुछ नहीं चाहिए...तुम यहाँ से जाओ!'

'हर इनसान को कुछ-न-कुछ चाहिए...'

'मैं तन्हा हूँ...मुझे कुछ नहीं चाहिए।'

'झूठ!'

'अब तुम दफ़ा हो। अपने अहसान की क़ीमत मत माँगो।' उसने ग़ुस्से में दरवाज़ा बन्द किया।

'यह घर भी नहीं चाहिए?' दरवाज़े के पीछे से आवाज़ आई।

'क्या मतलब?' तड़पकर उसने दरवाज़ा खोला।

'यह घर?' उसने सिगरेट का पैकेट निकाला।

'तुम कहना क्या चाहते हो?'

'सिर्फ़ इतना कि अगर मैं चाहूँ तो तुम इस घर में जब तक चाहो हिफ़ाज़त के साथ रह सकती हो।' उसके लहज़े से ज़्यादा उसकी आँखों में शरारत थी।

'वरना...'

'तुम सब-कुछ अच्छी तरह जानती हो।' वह हलके से मुस्कुराया।

'ठीक है! अब तुम जाओ यहाँ से...' उसने हिकारत से कहा।

'डायलॉग तो तुम्हें मुझसे रखना होगा'...बाय...की आवाज़ के साथ फ़ौजी भारी बूटों की आवाज़ दूर होती गई और समीरा के अन्दर की घुटन दरवाज़ा बन्द करते ही भँवर बन गई। रात को वह सो न सकी।

भरे पेट सोई लड़कियाँ बेख़बर थीं इस हक़ीक़त से कि उनकी माँ किसी और धरातल पर बहुत-कुछ सह रही है। जिसका अंजाम जाने क्या होनेवाला है।

समीरा सोच रही थी। उसका एक क़दम ग़लत पड़ा नहीं कि उसकी पाँचों लड़कियों की ज़िन्दगी जहन्नुम बन जाएगी। उसको महसूस हुआ उसका बदन अंगारों के बिस्तर पर पड़ा-पड़ा झुलस रहा है। इतनी सर्दी में भी वह पसीने में डूबी है। गले में काँटे-से चुभ रहे हैं।

अगर उसकी मर्ज़ी से मैं इस घर में सुकून से रह रही हूँ तो इसका मतलब साफ़ है कि मैं उसकी मर्ज़ी से इस दुनिया में साँसें गिन रही हूँ...

समीरा की साँसें तेज़ हो गईं। बन्दरिया की तरह उसे अपनी औलादों की फ़िक्र हुई। आँखों में ख़ौफ़ उतर आया। नींद कोसों दूर चली गई।

निष्ठावान इराक़ियों के लिए सब-कुछ ख़त्म हो चुका था, मगर अन्य विचार रखनेवालों के लिए सही शुरुआत अब इराक़ में होनेवाली थी। बीस-तीस साल से अवाम बहुत-कुछ झेल रहे थे और उन्हें महसूस हो रहा

था कि अभी उन्हें बहुत-कुछ और झेलना बाक़ी था, मगर ग़ैरमुल्की हुकूमत के आगे उन्हें घुटना टेकना मंजूर न था। समीरा उन्हीं में से एक थी। उसकी बड़ी बेटी सत्रहवाँ ख़त्म कर अठारहवें में लग गई थी और छोटी बेटी नवाँ ख़त्म कर दसवें साल में दाख़िल हुई थी। इसके बावजूद कि वह पैंतीसवाँ ख़त्म करनेवाली थी, वह अब भी साजदा और लैला की बड़ी बहन ही लगती थी। इधर कुछ वर्षों से तालीम बढ़ जाने से इस उम्र में लड़कियाँ शादी करने लगी थीं। जबकि साजदा की अगर शादी हो जाती तो इस उम्र में वह नानी बन चुकी होती और अपनी चार पीढ़ी को देखकर माँ मरती, मगर अब सब-कुछ बदल रहा है।

उसने खेलती नेदा को देखा और उसके सीने पर उभार को ढूँढ़ा, फिर उसकी निगाहें सबा की तरफ़ उठीं और वहीं जमकर रह गईं। वह जवानी की दहलीज़ पर पैर रख चुकी थी। वह मुस्कुराई, दूसरे ही पल व ग़मगीन हो उठी।

जिस समाज में जवान माँ पर नज़रें गड़ी हों वहाँ पर कमसिन लड़कियों की क्या सुरक्षा है?

अपने-पराए तो कमसिन लड़कों को भी नहीं छोड़ रहे...समीरा ने एक सर्द आह भरी।

समीरा सड़क पार कर पत्तियों के झड़ते दरख़्तों के झुंड के बीच पड़ी बेंच पर जाकर बैठ गई। यह इलाक़ा गहमागहमीवाले शहर के हिस्से से अलग पड़ता है। सामने काफ़ी दूर पर मकानों की क़तारें हैं। बिल्डिंग और इमारतें बिना पुताई के बोसीदा लग रही हैं।

यह शहर अपना होकर भी कितना पराया लग रहा है, न बिल्लियाँ मुँड़ेरों पर चलती नज़र आ रही हैं और न शाख़ों पर परिन्दे झूला झूलते नज़र आ रहे हैं। संगीत की देवी ने भी जैसे अपने साज़ और आवाज़ को किसी ख़ास मौक़े के लिए बचा रखा है, तभी न घरों से न दुकानों से गीतों के स्वर उठ रहे हैं।

समीरा ने लम्बी साँस खींची और बेंच से उठ खड़ी हुई। अँधेरा होने से

पहले उसे घर लौट जाना चाहिए वरना बच्चियाँ डरेंगी। आज वह उनकी पुरानी टीचर से मिलने गई थी मगर उनका हाल भी अच्छा न था बल्कि उनको बुरा लगा कि समीरा ऐसे ख़तरनाक माहौल में उससे मिलने आई, पता नहीं कौन किसका पीछा कर रहा है।

आहत मन से समीरा सूखे पत्तों पर क़दम रखती हुई आगे बढ़ी। मेन रोड से मार्च करता फ़ौजी दस्ता गुज़रता नज़र आया तो उसे लगा कि वह भी आसपास होगा। उसके ज़हन में एक पुराना परिदृश्य कौंध गया।

मार्क चौड़े फुटपाथ पर कुछ स्कूली लड़कों के साथ खड़ा था। देखते-देखते एकदम से उनके बीच झड़प शुरू हो गई और जिस तरह मार्क ने उन लड़कों के साथ बेदर्दाना बरताव किया और पलक झपकते हुए उन्हें सड़क से उठा फ़ौजी वैन में डलवाया वह दृश्य वास्तव में मजबूत-से-मज़बूत दिल को भी हिला देनेवाला था।

मार्क ने वहाँ खड़े कुछ ढीठ तमाशबीनों को मुख़ातिब करके कहा था कि मैं ही नहीं, मेरे बाप-दादा भी इस सरज़मीन पर लड़े हैं और जंग जीतकर गए हैं। इस बार भी तारीख़ अपने को दोहराएगी।

वहाँ खड़े लोगों पर क्या गुज़री मगर समीरा ऊपर पुल से यह दृश्य देख ताज्जुब में पड़ गई और मार्क के कहे वाक्य पर ग़ौर करने लगी। इतना गहरा नशा युद्ध-कौशल को लेकर नहीं है, वहाँ ज़मीन पर तो यह सब हमसे हार रहे थे मगर बम की तकनीक को क्या कहा जाए जो ऊपर से टपकाकर सब-कुछ तबाह कर देते हैं और बड़े से बड़े योद्धा को लाचार बना देते हैं।

यह आदमी मेरी यादों में क्योंकर दाख़िल हो रहा?

समीरा ने कन्धों पर पड़ी चादर को सिर पर डाला और ख़रामा-ख़रामा चलती हुई सूखी पत्तियों की संगीत-लहरी सुनती पेड़ों के झुंड से निकल फुटपाथ पर आ गई।

मैं इस तरह भटक रही हूँ और लड़कियों का मुस्तक़बिल किस सिम्त जा रहा?

चलते-चलते उसे फ़ौजी वैन गुज़रती दिखी। उसका ज़हन फिर भटक गया और उस फ़ौजी अफसर को लेकर जो किसी दुकान के सामने एक बच्चे से बातें करता मज़ाक कर रहा था फिर झुककर उसका गाल चूमा और उसकी पीठ पर धप लगाई।

उसे अचानक वह दोपहर भी याद आई जब उसके घर में लोग आए और उसकी सबसे बड़ी मुश्किल चुटकियों में हल कर चले गए।

उसने ऊपरवाले की तरफ़ देखकर सोचा कि ख़ुदाया! अब उस गोरे अफ़सर से मुठभेड़ न करा देना।

समीरा ने चारों तरफ़ नज़रें घुमाईं और तेज़ क़दम उठाते हुए वह अपने मोहल्ले की तरफ़ बढ़ी।

ये विदेशी आक्रमणकारी न हमारी यादों से कभी जाएँगे न हमारे मुल्क की तारीख़ से।

पाँच

बहार का मौसम शुरू हो गया था। मीठे नीबू और सन्तरे की ख़ुशबू हवा में बसी हुई थी। ऐसे मौसम में कौन होगा जो बहका–बहका अपने में डूबा न होगा! फूलों से बग़दाद भर जाता था। इस साल भी पेड़ ख़ूब–ख़ूब फूले, क्यारियाँ अलबत्ता मौसमी फूलों के बिना सूनी रहीं। ऐसे हसीन मौसम में वफ़ा को बुख़ार चढ़ा। ठंडे पानी की पट्टियाँ और स्पंज भी जब उसका ताप नीचे न ला पाईं तो समीरा ने नेदा के माथे को चूमा और बेहद प्यार से उसके गले की ज़ंजीर को छुआ।

'इसको बेचना होगा!' समीरा ने उसके रोने के डर से उसे पुचकारा।

'पता है उम्मी! वफ़ा बीमार है।' नेदा ने धीमे से कहा।

'मेरी जान! मेरी अरमान, इससे कहीं ख़ूबसूरत ज़ंजीर तुम्हें लाकर दूँगी, ठीक है न?' समीरा ने नेदा के फूले गालों पर प्यार से चपत लगाई।

'उम्मी?'

'जान!'

'कुछ नहीं...कुछ नहीं उम्मी!' नेदा ने कहा और मचलकर उनकी गिरफ़्त से दूर हुई।

अच्छा हुआ जो उसने कुछ नहीं कहा वरना...दूसरा झूठ

बोलना पड़ता क्योंकि महँगाई के इस दौर में कुछ भी ख़रीद पाना अब नामुमकिन लगता है। उसने ज़ंजीर को देखा और मुस्कुरा दी। नेदा की पहली सालगिरह पर अलबनाही ने उसे बेटी के गले में डाली थी।

उसने बाहर निकलने की तैयारी शुरू कर दी। हर पन्द्रह दिन बाद उसका यही मशग़ला हो गया है कि चीज़ों को बेचो और पेट का दोज़ख़ भरो। अब वफ़ा का यह बुख़ार अगर टायफ़ायड में बदल गया तो?

उसने ज़ंजीर को देख एक लम्बी साँस खींची और उसे पर्स में डाल दिया।

बुख़ार की दवा लेकर जब वह लौटी तो वफ़ा को पहले से बेहतर देख उसने ख़ुदा का शुक्र अदा किया।

दवा खाने के बाद वफ़ा का बुख़ार तो उतर गया मगर कमज़ोरी के मारे वह बेदम-सी पड़ी रही। रात तक साजदा और नेदा बुख़ार में फुँकने लगीं तो उसका दिल घबराया। एक दिल कहता डॉक्टर को बुला लाए अभी हाथ में रुपए भी हैं, दूसरा दिल कहता ऊपरवाले पर छोड़ दो वह ज़रूर हल निकालेगा। जब दोपहर तक उनका बुख़ार उतरने की जगह ख़ुद उसका बदन बुख़ार की शिद्दत से टूटने लगा तो उसे कुछ याद न रहा।

लैला और सबा के साथ वफ़ा को फिर से बुख़ार आ गया। घर में एक साथ सब बीमार थे और मुँह में पानी टपकानेवाला कोई न था। कैलेंडर होता तो दिन व तारीख़ का पता चलता। हफ़्ते-दो हफ़्ते की लम्बी जद्दोजहद के बाद सभी उस बुख़ार की लानत से एक-एक करके बाहर निकल आए।

घर में कुछ था जो वह खा-पी सकते थे।

पर्स में कुछ पैसे भी बचे थे।

समीरा ने ख़ुदा का शुक्र अदा किया और जाने कब से छुपाई शहद की शीशी को निकाल उसने गर्म पानी के साथ सबको पीने को दिया ताकि कमज़ोर बदन में थोड़ी ताक़त तो आए।

मुँह का मज़ा सबका कड़वा था और घर की ज़िन्दगी उतनी ही तल्ख़! जाने क्यों अपने हालात को समझने-बूझने के बाद उन्हें अपने ऊपर तरस नहीं

बल्कि ग़ुस्सा आ रहा था।

'या उम्मी...बदबू बहुत है...दरवाज़ा खुला रहने दो वरना...' रुआँसी आवाज़ में सबा बोली।

'खोलती हूँ, थोड़ा अँधेरा और गहरा हो जाए।' समीरा ने घबराकर कहा।

'उम्मी...उम्मी, क्या तुम हमारा गला घोंट सकती हो?' सबा ने जाने किस तैश में आकर यह जुमला कहा तो सब चौंक-से गए। समीरा ने बेटी को इस तरह देखा जैसे उसे पहचानने की कोशिश कर रही हो। दरवाज़े की हलकी-सी झिर्री खुली और पक्की नारंगी की मन्द गन्ध से कमरा भरने-सा लगा।

'क्यों डरती हो उम्मी तुम? क्या हो जाएगा? इतना ही तो न कि वह भेड़िया हमें आकर खा लेगा, तो क्या? मुझे यह ज़िन्दगी, यह मर-मर कर जीना अच्छा नहीं लगता...बिल्कुल नहीं भाता, आख़िर इस तरह हमें बचाते-बचाते कहीं एक दिन हमें खो न दो तुम!' सबा ने वह सब कह दिया जो वह बरसों से दबाए हुए थी।

थोड़ा-सा खुला दरवाज़ा एकाएक तेज़ हवा के झोंके ने पूरा खोल दिया। फर-फर हवा घर में झोंका बन डोलने लगी। पर्दे सरसराए, बाल फरफराए, फ्रॉक के किनारे घुटनों से उड़कर जाँघों तक जाने लगे। चाँदनी नंगी टहनियों के बीच से होकर घर में दाख़िल हो गई और चाँद का थाल ठीक दरवाज़े के बीच किसी पहरेदार की तरह अटककर खड़ा हो गया।

समीरा ने सबा के तेवर के आगे हथियार डालने में ही फिलहाल समझदारी समझी। उसने उठकर दरवाज़ा बन्द करने की उजलत नहीं दिखाई। वह माँ है जानती है कि सबा बचपन से ही बड़ी ग़ुसवर और ज़बान की तेज़ रही है! ग़ुस्से में वह अपना अच्छा-बुरा सोचना भी भूल जाती है और जब ग़ुस्सा उतर जाता है तो इतना शर्मिन्दा होती है कि माफ़ी माँग-माँगकर दूसरों का जीना दूभर कर देती है।

'सच उम्मी! तुम्हें किससे ज़्यादा डर लगता है? समय की बदली सियासत से, जिसमें हम हुक्मराँ नहीं मुजरिम मान लिये गए हैं या फिर इन नौजवानों

से जो सारे दिन बन्दूक़ लिये हमारे चौराहों और सड़कों पर खड़े रहते हैं?' साजदा माँ के पास जाकर बैठी।

'शायद दोनों से...एक की सज़ा मौत है और दूसरे की सज़ा भी मौत, एक में सम्मान दूसरे में अपमान।' समीरा ने बेटी साजदा से बड़े गम्भीर स्वर में कहा।

'इतना कुछ जानने-देखने के बाद तुम पहली सज़ा में सम्मान देखती हो?' साजदा ने हैरत से कहा।

'हाँ, इतने वर्षों हम उसी यक़ीन और अक़ीदे से बड़े हुए हैं कि अजनबी, वह कोई भी हो, हमारी अस्मत पर हाथ डाले यह दुनिया की कोई औरत बर्दाश्त नहीं कर सकती है। उसके ख़ामियाज़े सिर्फ़ ख़ानदान को नहीं बल्कि उस शख़्स को तन्हा झेलने पड़ते हैं जिसमें उसकी कोई हिस्सेदारी नहीं होती।' समीरा न चाहने के बावजूद इतनी खुली गुफ़्तगू लड़कियों से करने के लिए मजबूर हो गई।

'काश उम्मी! हम लड़के होते तो आपका दुख इतना गहरा न होता न फ़िक्र में आप यूँ पिघलतीं।' वफ़ा ने अजीब स्वर से कहा।

'तब दूसरा ख़ौफ़ मेरा जी हलकान कर देता। देश के क़ानून के मुताबिक़ सबको जंग में जाना होता, मौत और ज़िन्दगी के बीच पिसती मैं...कमसिन लड़कों की आबरू की क्या मैं हिफ़ाज़त कर पाती?' जैसे समीरा ने ख़ुद से पूछा हो।

'उन्हें तुम उम्मी! हमारी तरह यूँ बाँधकर नहीं रख सकती थीं। यह क़ैदख़ाना है...यह घर...यह मुल्क...हमारे लिए क़ैदख़ाना, अब नहीं सहा जाता...अबु तुम मुझे साथ क्यों न ले गए...अबु तुम क्यों चले गए?' सबा की उत्तेजना कमज़ोरी बन आँसुओं में ढल गई, मगर आक्रोश की तपिश ने दूसरी बहनों को व्याकुल बना दिया।

एकाएक कमरा अबु शब्द की प्रतिध्वनियों से गूँजने लगा। सुबकी, सिसकी और आहें जलती-बुझती नन्ही-नन्ही मोमबत्तियों की शक्ल में पिघलने लगीं। लड़कियों के बैन की आवाज़ें जहन्नुम के शोलों की तरह

समीरा को अपने चारों तरफ़ रक़्स करती लगीं। उनकी तपिश और सोज़िश से झुलसती वह सोचती रही कि माँ के पैरों के नीचे जन्नत होती है, यह सबसे बड़ा झूठ है। यहाँ बेटियाँ बाप को याद कर रही हैं और माँ की देख-रेख को ज़ुल्म!

बग़दाद का आसमान उक़ाबों से भरा है जो एक झपट्टे में ताज़ा कबूतरों को अपनी हवस का नेवाला बनाने को बेचैन हैं...इनसान इतनी बन्दिशों के बावजूद नहीं सुधरा। उसके अन्दर का जानवर वक़्त पड़ने पर दरिन्दों से भी ज़्यादा ख़तरनाक हो उठता है।

मेरे सामने अब सिर्फ़ दो रास्ते हैं, एक अस्मत-फ़रोशी का और दूसरा किसी ख़ुशहाल बूढ़े से शादी करने का, ताकि बन्द दरवाज़ा खुल जाए वरना लड़कियाँ बाग़ी होकर ऐसा क़दम उठाएँगी जिसमें सिर्फ़ पछतावा ही हाथ आएगा। नौकरी का मिलना मुश्किल है, विदेश में पनाह लेना ग़ैरमुमकिन और अब घर में सामान भी कौन-सा बचा है जिसके बूते पर वह यह कह सके कि साल-दो साल कट जाएँगे।

सारी रात समीरा बिस्तर पर तड़पती जागती रही। उसे अपनी पूरी ज़िन्दगी बेकार लगने लगी और दिल चाहा कि गले में फन्दा लगा वह छत से झूल जाए। लड़कियाँ अपनी तरह अपना रास्ता चुन लेंगी। कम-से-कम उन्हें मेरे ठोस क़दम खोखले और सोच फ़िज़ूल तो नहीं लगेंगे। हर रोज़ खाने की जुस्तजू में भटकना, अकाल पड़े शहर में कुछ पा लेना, यह कैसी लानत है जो उसके सिर पर सवार है?

उसने बेक़रारी से कई बार अलबनाही को पुकारा मगर जवाब न आया। रूह परिन्दा बन परवाज़ कर गई और...

वह झल्लाई-सी उठी और सामनेवाली अलमारी के पट खोले। बड़ी देर तक उसमें कुछ ढूँढ़ती रही। ख़ूबसूरत डिब्बियाँ खाली थीं। मखमल के थैलों में कुछ न था। एकाएक कपड़ों में से कोई चीज़ उसके पैरों पर गिरी। उसने झुककर उठाया। छोटा-सा लॉकेट था! उसकी बेताब उँगलियों ने उस

लॉकेट को खोला। उसमें दो तस्वीरें थीं। एक वक़्त के हाकिम की और दूसरी...दूसरी की जगह ख़ाली थी। उसे याद आया कि अलबनाही के बहुत कहने पर उसने यह लॉकेट पहनना मंजूर किया था जबकि देश की अधिकतर औरतों के गले में यही लॉकेट झूलता था। मगर उसने दूसरी तरफ़ अपनी तस्वीर नहीं लगाई थी। उसने नाख़ूनों से कुरेदकर वह तस्वीर निकाली और चाहती थी कि टुकड़े-टुकड़े कर दे मगर कुछ सोचकर रुक गई।

हथेली में लॉकेट को लेकर अपने बिस्तर की तरफ़ लौटी और थकी-थकी-सी बिस्तर पर लेट गई। उसकी आँखें इस इतमीनान के साथ नींद में डूबने लगीं कि कुछ दिन और सही भूख से सब बचे रहेंगे।

समीरा का परेशान ज़हन ख़्वाब में उसे अपने बचपनवाले घर में ले गया जहाँ वह किसी काम में व्यस्त है और देखती है कि घर के दूसरे हिस्से में इराक़ का हाकिम सिर पर चारख़ाने का रूमाल बाँधे गैस के चूल्हे पर रोटी गर्म कर रहा है।

'या अल्लाह!' यह देख वह आगे बढ़ती है।

'मुझे भूख लगी है...अरसे से कुछ खाया नहीं।'

'आप जब तक चाहें यहाँ ठहर सकते हैं, जो चाहें खा सकते हैं।' वह बड़े प्यार से उनसे कहती है और उन्हें खाना खाते देखती है। वह सूखी रोटी को गर्म करते हैं जो...

उसकी आँख खुल जाती है। बेतुके सपने का स्रोत तो वह तस्वीर थी। अरसे बाद देखी वह तस्वीर! हाकिम को अपने घर देखने की ताबीर क्या होगी?

एकाएक समीरा का दिल भर आया और वह तकिया पर सिर रखे-रखे फफककर रो पड़ी। बिना हाकिम के यह शहर कई तरह की क़यासआराई कर रहा है। कोई कहता वह यहीं छुपे हैं तो कोई कहता वह भाग गए हैं और वतन सिपुर्द कर गए विदेशियों के...बार-बार हम ग़ुलाम क्यों बनते हैं?

हमारी ग़लतियाँ क्या हैं?

समीरा आज अपने को मुल्क के हुक्मराँ की जगह रखकर देख रही थी कि सब-कुछ करने के बावजूद लड़कियाँ घर को क़ैदख़ाना कह रही थीं। घर चलाना हो या देश, दोनों ही काम कितने कठिन हैं ख़ासकर सबको साथ लेकर चलना, सबको ख़ुश रखना।

समीरा का दिल पतझड़ के पत्ते की तरह सुर्ख़, पीला, भूरा हो उठा और एकाएक दर्द की शिद्दत से जैसे चरमरा उठा। रात जितनी बेचैन गुज़री थी सुबह उतनी ही मुर्दा।

घर में सन्नाटा छाया था। जबकि धूप की सुनहरी लकीर खिड़की की झिर्री से निकल कमरे में पतले ट्यूब लाइट की तरह जल उठी थी। नेदा हमेशा की तरह बहन की बग़ल से उठी और माँ का दरवाज़ा थपथपा अन्दर दाख़िल हुई।

'उम्मी! उम्मी उठो न!'

उम्मी बिस्तर पर जब उसे नज़र नहीं आई तो उसने बाथरूम का दरवाज़ा थपथपाया। वहाँ भी वह नहीं थी। किचन से होकर वह कमरे की तरफ़ आई थी। घर का बड़ा दरवाज़ा बन्द था।

उम्मी कहाँ गई होगी? उसने परेशान हो सोचा फिर उसको हँसी आ गई। और कहाँ जाएगी? कुछ सस्ता अच्छा खाने को लाने गई होगी।

उसने माँ की अलमारी खोली। दराज़ खींचा और उनके मेकअप के सामान को फदौंड़ा। चेहरे पर गाज़ा, लिपस्टिक लगाई। काजल से आँखों को रँगा और ठीक माँ की तरह हाई हिल पहन चादर को सिर पर जमाया। चन्द क़दम वह ठीक तरह से चली फिर सैंडिल में पैर मुड़ने से चादर में उलझ इस तरह गिरी कि उसका माथा दरवाज़े के नाब पर लगा और माथा फट गया। ख़ून देख वह चीख़ी और लगी रोने 'उम्मी...उम्मी!'

बहनें पहले दम साधे लेटी रहीं फिर उन्हें लगा, यह नेदा की शरारत नहीं हो सकती है। वे तेज़ी से माँ के कमरे की तरफ़ गईं।

'यह क्या? कैसे हुआ?' साजदा ने पूछा और ग़ौर से जो उसका चेहरा देखा तो परेशानी के बावजूद खिलखिलाकर हँस पड़ी।

'भूतनी!' वफा इतना कहकर जो हँसी तो नेदा ने रोने की आवाज़ तेज़ कर दी।

'चुप चुप...उम्मी...उम्मी कहाँ हो तुम!' लैला बोल पड़ी।

'उम्मी घर पर नहीं हैं।' सबा ने परेशानी से कहा।

'बिना बताए तो कहीं नहीं जातीं फिर आज? ऐसा क्या घट गया जो उन्हें जाना पड़ा?' लैला ताज्जुब से बोली।

नेदा का घाव धोकर उस पर ज़ैतून के तेल का फाया रखा और उसको दुलारती-सी साजदा पास बैठ गई और उसका सिर अपने ज़ानू पर रख उसे हलके-हलके थपकने लगी।

बड़ी होती हर लड़की अपने बचपन में माँ की नक़ल करती है, इसी तरह गिरती है और फिर उसे सब-कुछ सँभालना आ जाता है। साजदा नेदा के चेहरे को देख मुस्कुराती हुई सोचने लगी।

'इस तरह बिना बताए उम्मी कहाँ चली गई?' सबा ने उलझकर कहा और फ़िक्र से माथा रगड़ा।

समीरा का मन अनमना था। वह दजला को बहता देख रही थी। सूरज की रौशनी में पानी कभी पिघले चाँदी जैसा चमक उठता तो कभी मटमैला-सा नज़र आता।

अगर मैं इसमें बह जाऊँ तो?

उसके इस सवाल का जवाब देनेवाला वहाँ कोई न था उसकी मौत कोई इतिहास नहीं रच पाएगी और न ही तारीख़ का कोई दर्दनाक अध्याय।

क्या पता वह मर ही न पाए और बेहोशी में लहरें उसे साहिल पर पटक दें। तब तो और भी निराशा होगी। किस मुँह से वह उन हालात का मुकाबला

करेगी जिनसे घबराकर वह भागी थी। उसने बढ़ती गर्मी को महसूस किया और नदी के किनारे से उठ वह सड़क की तरफ़ मुड़ी और धीरे-धीरे फुटपाथ पर चलने लगी।

अचानक तेज़ ब्रेक के साथ कोई गाड़ी रुकी तो वह चलते-चलते ठिठककर खड़ी हो गई।

वह सामने था। चटक धूप में वह नज़रें ज़्यादा देर उठाए न रख सकी और आगे बढ़ी।

'ठहरो! मुझे तुमसे बात करनी है।'

'मुझे घर जल्दी लौटना है।'

'हम कभी दो इनसानों की तरह सहज लहज़े में बात कर सकते हैं?'

'इसकी ज़रूरत क्या है?'

'कभी-कभी जो दिखता है वह वैसा होता नहीं है।'

'कितनी पुरानी बात दोहरा रहे हैं आप? मुझे लगता है जो दिखता है अकसर वही सच होता है!'

'तुम कभी अपनी टीचरवाली भूमिका से बाहर निकल पाओगी?'

समीरा के होंठ थरथराए मगर वह जवाब न दे पाई सिर्फ़ उसने पलकें झपका इधर-उधर देखा।

'मैंने ऐसे लम्हे जिए हैं जिसमें इनसान बिल्कुल तन व तन्हा रह जाता। बहुत तकलीफ़देह मरहला है यह...मगर हर शख़्स की ज़िन्दगी में ऐसे लम्हे आते हैं जब वह किसी का नहीं होता है और न उसका अपना कोई।' इतना कह वह हँसा।

'अच्छा!'

'यक़ीन करो, मुझे घर लौटकर बग़दाद बहुत याद आता रहा...जब यहाँ था तो घर का ख़्याल आता था। अब इस बार लगता है कि जैसे यह मेरा शहर

है, यहाँ मेरे ही लोग हैं और...'

'क्यों नहीं!' गहरे तंज़ में कहा जुमला उसे गहरे छू गया। वह अपनी बात अधूरी छोड़कर पल भर समीरा को देखता रहा, फिर धीरे से बोला, 'तुम्हारे अन्दर कितनी नफ़रत है।'

'अपने बारे में क्या ख़्याल है।' समीरा ने तने लहज़े में कहा।

'वही तो बताना चाह रहा था मगर तुम यह सब-कुछ समझना नहीं चाहती हो।'

'एक बात तो ज़रूर जानना चाहती हूँ कि इतने बड़े बग़दाद में दूसरा कोई इस तरह नहीं टकराता जैसे तुम बार-बार मेरी राह काटते हो।' समीरा ने तल्ख़ी से कहा।

'अगर मैं जानता तो ज़रूर बताता मगर मैं समझता हूँ कि यह सिर्फ़ एक इत्तफ़ाक़ है।'

वह चुप रही।

'मैं अकसर अपनी रातें, जब पढ़ते-पढ़ते थक जाता हूँ तो शहरज़ाद के स्टैच्यू के पास पड़ी बेंच पर आकर बैठ जाता। महसूस होता है शहरज़ाद मुझे कोई दास्ताँ सुना रही हो...तुमने कभी बग़दाद को सुबह के झुटपुटे में देखा है जब शहरज़ाद अपनी कहानी ख़त्म करती है और भोर का तारा डूबता है तब मैं तारीख़ी शहर की उस गुनगुनाहट को सुनता हूँ जो कभी बेबिलान के झूलते बाग़ों में पंछियों ने गीत गाए होंगे...काश! मैं यहाँ एक सैलानी की तरह आता और इस सरज़मीन का चप्पा-चप्पा घूमता, मगर अफ़सोस...'

'आया तो एक हमलावर बन जिसने सब-कुछ तहस-नहस कर दिया।' समीरा ने उसका जुमला अपनी तरफ़ से पूरा किया और हलके से मुस्कुराई।

'मरहबा!' वह सीने पर हाथ रखकर ख़ालिस अरबों की तरह सम्मान से झुका तो समीरा के होंठों पर दबी मुस्कान पूरी तरह से खिल उठी।

'तुम्हें कहीं छोड़ दूँ?'

'नहीं।' समीरा के माथे पर बल पड़ गए।

'याद रखना, मैं तुम्हारे साथ एक दिन बेबिलान के खँडहरात देखने जाऊँगा!' वह हँसा।

'ज़रूर! मगर एक शर्त है तुम्हें वह सब-कुछ लौटाना होगा जो तुम लोग यहाँ से ले गए हो, बेबिलान का दरवाज़ा, हम्मूराबी का लिखित क़ानून और...।'

'ठीक है...मैं न सही मगर वक़्त ज़रूर इन्साफ़ करेगा।' वह हँसा और गाड़ी का दरवाज़ा खोल उसमें जा बैठा।

समीरा जाती गाड़ी को देखती रही।

शहर में चहल-पहल बढ़ गई थी। सड़क पर ट्रैफिक की आमद-व-रफ़्त भी। धूप का चटकीलापन अबरक की तरह झिलमिला उठा था।
समीरा निराशा से भरी छोटे-छोटे क़दम बढ़ाती रही।

छह

समीरा जब घर में दाख़िल हुई तो ख़ुद से काफ़ी मुतमईन लग रही थी। चेहरे पर सब्र था और आँखों में ठहराव जैसे उसने अपने अन्दर का विस्तार पा लिया हो। ख़ुदकुशी उसे मुसीबतों से नजात नहीं दिलवा सकती है। हाँ, दिल व ज़बान इसी तरह अपना विष कभी-कभी ख़ाली कर लें तो आदमी को कितना सुकून हासिल होता है।

उसने कमरे में पहुँच चादर उतारी और कपड़े ढीले करने लगी।

सुबह की हवा ने उसके दिमाग़ पर बड़ा फरहतबख़्श असर छोड़ा था। उसकी पलकें ख़ुमारआलूदा हो रही थीं। मिज़ाज का चिड़चिड़ापन ग़ायब था।

बिस्तर पर दराज़ होते ही वह इस तरह गहरी नींद में डूबी जैसे नींद की गोली खाई हो।

लड़कियाँ हाल में कुछ सोई कुछ जागी-सी पड़ी हुई थीं।

उनके ज़हन में जाती बहार की बहारें थीं।

फूलों से लदे नाज़ुक पेड़ और लतरें थीं। रसीले फलों का भूला स्वाद था। नर्म-मुलायम हवा की थपकियाँ थीं। आदम बाग़ का वह इकलौता हरा-भरा दरख़्त था, जिसे देखकर वे चीख़ी थीं।

इतना पुराना दरख़्त और इतना हरा-भरा?

रिश्तों का सफ़र बहुत तवील होता है। सदियाँ गुज़र जाती हैं

और रिश्ता वहीं मौजूद रहता है,' यह कैसी जादूगरी है!

खँडहरों में फिरते हुए हम किसके क़दम ढूँढ़ते हैं और किन चीज़ों को हम काग़ज़ पर नोट कर उसे किताबी शक्ल दे बैठते हैं।

यह भटके सवाल, यह सफ़र करते ख़यालात, यह बेमक़सद ज़िन्दगी के चौराहे पर खड़ी लड़कियाँ और गुम हो गई पगडंडियाँ, उन्हें कोई मंज़िल आवाज़ नहीं देती है और न कोई हमक़लाम होता है?

अपने अन्दर चलते-चलते यह लड़कियाँ अकसर थककर बैठ जाती हैं, मगर हार नहीं मानती हैं। क्योंकि उन्हें यक़ीन है कि एक दिन ज़िन्दगी करवट ज़रूर बदलेगी।

कुछ दूर पर शोर-सा उठा और उसके बाद गोलियों की आवाज़ें। एकाएक हड़बड़ाई-सी वह सब उठ बैठीं। कल्पना की उड़ान में वह जितना उड़ सकती थीं उड़ीं फिर झुँझलाई-सी अपने हाथ-पैर झटककर बेबस-सी सिर तकिया पर रख बड़बड़ा उठीं।

'ऐसे हालात में उम्मी कहाँ भटक रही हैं?'

माँ तो गहरी नींद में डूबी थीं जैसे बरसों की नींद उसे पूरी करनी है।

समीरा ने लॉकेट बेच दिया था और अब वह कुछ ऐसी चीज़ें ख़रीदना चाह रही थी जिससे वह कुछ पकाकर पैसे हासिल कर सके। जैम, जेली, केक? मगर बेचेगी कहाँ?

एकाएक शोर उठा। पता चला कि बोतल के ख़ून और गुज़री तारीख़ों की दवा ख़रीदने की मनाही का एलान हो रहा है। ख़ून में एचआईवी ज़रासीम हैं या...

वह चौंक पड़ी। एकाएक उसे कुछ याद आया। क्या उसकी बनाई चीज़ें

बिक पाएँगी इस दोस्ती–दुश्मनी के मिले हालात में? उसने झिझकते हुए एक दुकानदार से पूछा तो उसने पहले समीरा को बहुत ग़ौर से देखा फिर बोला, 'ठीक है मगर लागत से सिर्फ़...'

एकाएक बुलेटप्रूफ काले शीशे की गाड़ी देख वह चौंकी फिर कतराकर निकलना चाहा सो तेज़ी से बिना बात पूरी सुने वह अन्दर गली में दाख़िल हो गई। कई गलियों के बीच भटककर जब वह मेन रोड पर आई तो उसने गहरी साँस ली।

यह क्या? वह बौखला–सी गई। वह सामने खड़ा था। खै़रियत थी कि उसने अभी उसे देखा नहीं था। उसने अपना पूरा चेहरा ढक लिया ताकि वह पहचानी न जाए।

घर लौटना ही अब बेहतर होगा।

नाउम्मीद–सी हो समीरा सड़क पार कर पुल की तरफ़ बढ़ी। ये रास्ते पहले पैदल चलनेवालों के नहीं थे। फर्राटे भरती गाड़ियाँ...अब सुरक्षा की दृष्टि से कम ही लोग निकलते हैं और जाएँ भी कहाँ?

समीरा गहरी सोच में डूबी छोटे–छोटे क़दम उठाती आगे बढ़ रही थी।

'अहलन!' उसने ख़ालिस इराक़ी लहज़े से उसका रास्ता रोककर कहा।

वह इस सम्बोधन से बुरी तरह चौंक पड़ी।

'अहलन व सहलन।' उसने हैरत से उसे देखा।

'क्या मेरे साथ मेरे घर चलना पसन्द करोगी?' उसके चेहरे पर शरारत थी या दावत। एकाएक वह समझ न सकी।

'क्या?' समीरा का तौहीन के मारे दाहिना हाथ उठ गया, 'फिर से कहना तो?'

समीरा की कलाई पकड़ने की जगह उसने वार सिर्फ़ अपनी हथेली से रोका वह भी दूर से। मँझोले क़द की समीरा का हाथ वैसे भी उसके गाल तक पहुँचना मुश्किल था।

'जानती हो फ़ौजी पर हाथ उठाने की सज़ा?'

'जानती हूँ।' उसने अपने चारों तरफ़ देखा। दूर-दूर तक कोई न था।

'फिर?'

'तैयार हूँ, मारो गोली लेकिन इतना जान लो तुम जो कर रहे हो वह किसी भी तहज़ीब-याफ़्ता क़ौम के लिए बाइसे शर्म है।' वह हाँफती-सी बोली।

'मैं नहीं समझता कि मैंने कोई बेअदबी की हो। सिर्फ़ अपने घर चलने की बात कही, तुम भी हाँ और न कहने के लिए आज़ाद हो, उसमें यह मारपीट कहाँ से आ जाती है?' उसने कुछ इस तरह बदन घुमाकर चारों तरफ़ नज़र दौड़ाई कि समीरा को हर दस-बीस क़दम पर पुल के नीचे फ़ौजी ही बन्दूक़ उठाए नज़र आए।

'चलो बैठो!' उसने कहा और गाड़ी का दरवाज़ा झटके से खोला।

'बन्दूक के ज़ोर पर तुम जो भी कर लो मगर जान लो, मैं दिल की गहराइयों से तुमसे नफ़रत करती हूँ...यह ज़ुल्म है।' उसने सीट पर बैठते हुए ग़ुस्से से कहा।

'औरत होने की शान में जो ज़ुल्म तुम मुझ पर करती आई हो उसका हिसाब माँग सकता हूँ।'

काले शीशों की बुलेटप्रूफ गाड़ी तेज़ी से सड़क पर फिसली और वह पिंजड़े में क़ैद फाख़्ता की तरह फड़फड़ा उठी। वह ख़ामोश था। चेहरा गम्भीर था। चेहरे पर एक साथ कई भाव आ-जा रहे थे। समीरा को एक और चिन्ता खाए जा रही थी कि घर में लड़कियाँ अकेली हैं, गाड़ी हल्के झटके से रुकी। उसने उतरने से पहले समीरा को ग़ौर से देखा फिर आहिस्ता से नीचे उतर दूसरी तरफ़ का दरवाज़ा खोला। समीरा को उतरने में मदद कीं और सामने बैरकनुमा बने एक कमरे की तरफ़ बढ़ा। समीरा की हील बालू में धँसी और लड़खड़ाई तो उसने उसका बाजू पकड़ बेहद मुलायम लहज़े में कहा, 'इन्सान पर यक़ीन करने में कोई हर्ज़ नहीं है।'

'यक़ीन!' वह चौंकी।

'हाँ,' वह हँसा और चाबी से कमरा खोल अन्दर दाख़िल हुआ? अन्दर का माहौल बाहर से बिल्कुल अलग था। वह कमरा किसी स्कॉलर का लग रहा था। चारों तरफ़ क़िताबों की अलमारियाँ। बीच की दीवार पर बड़ी-सी एक तस्वीर बुज़ुर्ग अंग्रेज़ औरत की लगी थी। सिर पर हैट गले में मोतियों की माला और हँसता चेहरा। उसके चारों तरफ़ कई दूसरी तस्वीरें।

'तो लूटी किताबें यहाँ सज गईं?' समीरा का दिल चिटख गया। अजीब कँपकँपाहट पूरे बदन में भर गई।

'यह मेरी माँ की तस्वीर है। इस बार मैं उनसे किए वायदे को पूरा करने की नीयत से भी आया हूँ।'

वह चुपचाप खड़ी थी। उसकी ज़बान जैसे अकड़ गई हो।

'बैठो! मैं तुम्हारे लिए शरबत उँड़ेलता हूँ।' इतना कह उसने अनार के रस से दो गिलास भरकर एक उसे थमाया।

'मैं चाहता तो नहीं था आर्मी में आना मगर घर के हालात ने मजबूर कर दिया, अब मुक्त हो सकता हूँ...आज़ाद।' उसने क़हक़हा लगाया।

'हज़ारों लोगों के ख़ून से हाथ रँगने के बाद', जाने कैसे समीरा के मुँह से निकल गया!

'हाँ...शायद मुझसे यह गुनाह होने थे, न होते तो अक़्ल कैसे आती?' वह इतना कह चुप हो गया। धीमे-धीमे घूँट भरता रहा!

'मैं चलूँ...मेरा यहाँ रुकना क्या आना ही ठीक न था। हम ज़रा फ़र्क क़िस्म के लोग हैं...आप हमारे समाज की बन्दिशें और उसूल नहीं जानते।'

'बन्दिशें और उसूल हर क़ौम के पास होते हैं। हम भी आपसे जुदा नहीं मगर कभी-कभी इन सबको भुला देना भी हमारे लिए अच्छा होता है...' वह हँसा।

'हो सकता है।' वह धीरे से बोली।

'इस पूरे सिस्टम में सिर्फ़ तुम ही नहीं, मैं भी उतना ही मजबूर और लाचार

हूँ...मैंने कभी नहीं सोचा था कि एक देश पर आक्रमणकारी की तरह मैं दाख़िल हूँगा। मगर ट्रेनिंग मेरी फ़ौजी थी तब से अब तक अपना कर्तव्य निभा रहा हूँ। मैंने आत्मरक्षा की है मगर किसी निहत्थे अरब पर गोली नहीं दागी।'

'हमारे लिए तो तुम सब ज़ालिम हो, हत्यारे हो, हमारे मुल्क को तुमने रौंद डाला और हमारे राष्ट्रपति को...' अपमान से समीरा का गला रुँध गया। कहना तो वह यह भी चाहती थी कि तुम एक निहत्थी औरत की मजबूरी का फ़ायदा उठाकर उसे यहाँ उठा लाए हो जहाँ दूर-दूर तक तुम्हारी फ़ौजों के दस्ते फैले हुए हैं।

'बैठो, आराम से...मैंने तुम्हारी सच्चे दिल से हमेशा मदद करनी चाही, जैसे दूसरों की। मगर तुमने अपने देशप्रेम और औरताना घमंड के आगे मेरी इनसानियत नहीं देखी। उसे ग़लत समझा और अब...दरअसल जो बात नहीं थी, उसे तुम समझ रही थीं और आज जब मैं उस जज़्बे को समझ चुका हूँ तो खुलकर कहना चाहता हूँ कि मैं तुमसे मुहब्बत करता हूँ, शादी करना चाहता हूँ...तुम्हारी मर्ज़ी से, ज़ोर-ज़बर्दस्ती से नहीं।' उसने गिलास में अनार के जूस को दोबारा डालते हुए कहा।

'तुम?' समीरा को इतने साफ़-सुथरे अल्फ़ाज़ सुनने की उम्मीद क़तई न थी।

'मैं, इस बार छुट्टियों में गया था। मैं पल भर के लिए तुम्हारे ख़्याल से निकल न पाया। हर रात तुम्हें सपने में देखता कि तुम एक इन्हेलर के लिए इस दुकान से उस दुकान भागती, लोगों के बन्द दरवाज़े पीट उनसे इन्हेलर माँगती हो मगर मुझसे लेना गवारा नहीं किया...तुम्हारा यह डिवोशन अपने शौहर और देश के लिए मुझे कहीं गहरे छू गया, जब मैंने सुना कि तुमने किडनी तक अपने शौहर के इलाज के लिए बेच डाली, और मैं चाहकर भी तुम्हारी कोई मदद नहीं कर पाया।' इतना कह उसने गिलास समीरा की तरफ़ बढ़ाया।

'तुमसे प्यार और शादी?' समीरा ने गहरी हैरत से दिल ही दिल में दोहराया।

‘हाँ, मैं तुमसे शादी क़रना चाहता हूँ।’ उसने अपनी बात दोहराई।

‘शादी? वह भी इस मुल्क में? कैसे सोच सकते हो, मैं अपने लोगों में सिर्फ़ ग़द्दार के नाम से जानी जाऊँगी।’

‘क्या लोग तुम्हारे दुखों के बारे में जानने के लिए उत्सुक हैं?’

‘कौन बचा है?’

‘तो फिर किसके लिए परेशान हो?’

‘अपने लिए...मैं ऐसा सोच भी नहीं सकती हूँ। तुम्हें शायद मजबूरी के तहत बदन दे सकूँ मगर प्यार...प्यार नहीं कर पाऊँगी, शादी तो बहुत दूर की चीज़ है।’ समीरा ने डरते-झिझकते हुए कहा। उसके हलक़ में काँटे-ही-काँटे उग आए थे!

‘अभी हमारे पास वक़्त है!’ वह सरल स्वर में बोला।

‘बात एक इराक़ी के जज़्बे की भी है, वह तुम नहीं समझ पाओगे।’

‘मैं समझता हूँ...इस जंग का कोई सफल अन्त नहीं, कोई मंज़िल नहीं और तुम्हारी क़ुर्बानी का कोई मतलब नहीं है...तुम्हें ज़िन्दगी मिल रही है उसे हाथ फैलाकर लो...’ उसने ख़ाली गिलास मेज़ पर रखा। वह बमुश्किल घूँट-घूँट पीती रही। बहुत-कुछ सोचती रही। अन्त में वह कुर्सी से खड़ी हुई।

‘अब मुझे चलना चाहिए।’

‘ज़रूर,’ वह उठ खड़ा हुआ।

‘मैं यह सब तुम्हारे घर की चौखट और राह चलते नहीं कह सकता था। यहाँ तुम्हें लाना पड़ा, इसको ग़लत मत समझना। दरअसल अपनी माम के सामने सब कहना चाहता था बस! दुनिया भर के जज़्बाती लोग एक तरह के बेवकूफ़ होते हैं।’ इतना कह उसने लाल रंग का फूल समीरा की तरफ़ बढ़ाया।

‘थैंक्स!’ जाने किस सहर के तहत समीरा ने फूल लेते हुए कहा और

उसकी शादाबी निहारने लगी। वह फूल कुछ पल बाद साजदा के चेहरे में बदला फिर लैला व वफ़ा के फिर सबा और नेदा के, वह मुस्कुरा पड़ी।

'मैं इसे बालों में लगा दूँ।' समीरा के चेहरे की मुस्कान देखकर वह हिम्मत कर बैठा। समीरा ने इनकार से सिर हिलाया और फूल को अपने सीने के बीच में इस अदा से खोंसा कि जब वह चाहे उसे देख सकती है। वह मुस्कुरा पड़ा।

'आपने सड़क पर जिस तरह...' समीरा की बात अधूरी रह गई।

'मुझे आपका ग़ुस्सा बहुत अच्छा लगता है। चाहता था कि एक आख़िरी बार आपके वे तेवर और देख लूँ फिर मौक़ा मिले या न मिले...' वह हँसा, इस बार समीरा भी मुस्कुरा पड़ी।

'हाँ, एक बेहद ज़रूरी बात कहना भूल ही गया...आपका घर बिक चुका है!'

'नहीं!' वह चौंकी।

'आपके चचाज़ाद भाई ने जिस आदमी के हाथ बेचा है वह सिर्फ़ तीन माह की मोहलत देगा।'

'यह कैसे हो सकता है...मैं कहाँ जाऊँगी?' उसका सारा सुरूर जो माहौल ने उसे दिया था एकाएक क़ाफूर की तरह उड़ गया। होंठ फड़फड़ाए मगर क्या बोलती।

'एक बार चचा से जाकर मिल लेतीं...शायद वह कुछ कर सकें।' उसने समीरा की बदली हालत को देखकर हौसला दिया। कमरे से उठते हुए उसने आख़िरी नज़र उसकी माँ की तस्वीर पर डाली और भारी क़दमों से बाहर निकली।

'कहाँ जाना है अब?'

वह चुप रही। कैसे कहती कि उसे जाना तो बाज़ार की तरफ़ था मगर अब वह क़ब्रिस्तान अपने शौहर की क़ब्र पर जाना चाहती है जहाँ दहाड़ मार-

मारकर वह रोना सिर्फ़ रोना चाहती है कि आख़िर इतना लावारिस हमें क्यों छोड़ा?

रात फलों के पकने की गन्ध से बोझिल थी मगर इस सुगन्ध से वंचित वह पाँच मासूम बच्चियाँ एक घर में कै़द थीं। कब तक कै़द रहेंगी, क्या पता!

खाने की चीज़ों का थैला उठाए जब समीरा घर पहुँची तो उसकी नज़रें और दिल बहका-बहका-सा था। एक ख़ुमार न चाहने के बावजूद उस पर छा रहा था। दरवाज़ा बड़ी बेटी ने खोला और माँ के शादाब चेहरे को देखकर मुस्कुराई। माँ का चेहरा बेटी का जवान चेहरा देखकर बुझ गया और नशे का सुरूर काफ़ूर बनकर उड़ गया।

एक-दो साल बाद ये लड़कियाँ जान हथेली पर लेकर निकल पड़ेंगी। शायद साजदा, लैला ऐसा न करें, मगर बाक़ी तीन का क्या भरोसा? वह मिज़ाज में भी अलग हैं। सोचती हुई वह घर में दाख़िल हुई और थैले थमाते हुए सीधे अपने कमरे में घुसी और दरवाज़ा बन्द कर उसने सिर की चादर उतारी और सीने के बीच खुँसा वह फूल निकाल उसने हलके से चूमा और सूँघा। सारा बदन एक तरावट से भर उठा, लगा मांसपेशियों में पारा नाच रहा है। उसने आईने में चेहरा देखा तो शरमा-सी गई। मलाहत की परत गालों पर फैली थी और आँखें...इन आँखों को कैसे बच्चियों से छुपाए जो खाने की ज़रूरत से दूसरी ज़रूरतों की तरफ़ तेज़ी से बढ़ रही हैं। सबा का यूँ रात-दिन आईने से चिपका रहना, लैला का सूराख़ पर आँखें गड़ाए रखना, साजदा का बार-बार सैंडिलें पहनकर उतार देना और वफ़ा का बार-बार अपने बदन को ताकना यह सारी कैफ़ियतें तो ज़रूरी अलामतें हैं जवान होने की, उसे दबाना गुनाह है।

यह गुनाह मैं कर रही हूँ। बदन की नन्ही-से-नन्ही घंटी को बजता मैं महसूस करती हूँ जबकि पाँच बच्चियों की माँ हूँ...जवान हूँ इसलिए इस फ़ितरी माँग से कहाँ भाग सकती हूँ। मगर यह मेरी बेटियाँ मासूम हैं, इनका हर जज़्बा कुँवारा और अनछुआ है। इसकी तड़पन तो जुनून बनकर सिर चढ़ती है और मैं हालात से हारी हुई उन्हें कमरों में क़ैद किए हुए हूँ। आख़िर इतना क्यों डरती हूँ?

उन्हें भी तो इस तरह के तोहफे चाहिए। 'उसने फूल की पँखुड़ियों के बीच होंठों को ले जाकर उसके पराग को ज़बान की नोक से चखा और फिर उसे दोहराया और एक अजीब कैफ़ियत में आ वह पूरे फूल को चबा गई और एक नशे की कैफ़ियत में जाकर बिस्तर पर दराज़ हो गई। नशा जब टूटा तो वह उठी।

उसने सिरहाने से भरा गिलास उठाया और एक साँस में पी गई। कुछ पल यूँ ही बैठी रही फिर उठकर आईने के सामने जा खड़ी हुई। मोमबत्ती की थरथराती पीली रौशनी में वह अपने को निहारती रही।

अगर मैं इन लटों को काट दूँ तो...?

सारे बाल ही मूँड़ डालूँ तो कैसी लगूँगी?

इस सफ़ेद रंग पर कालिख पोत दूँ तो...?

वह फटी-फटी आँखों से अपने सरापा को देखती रही फिर जाने किस जज़्बे के तहत उसने अपने चोग़े के बटन खोले और सनसनाती ठंडी हवाओं की इस सर्द रात में वह आदमक़द आईने के सामने बिना कपड़ों के खड़ी हो गई। उसने अपने शाने देखे, हँसलियों के बीच गर्दन के नीचे उस गड्ढे को ताका जहाँ बड़ा-सा काला तिल था। अपने भरे सीनों और पतली कमर को ताका। पाँच बच्चों की पैदाइश के बावजूद वह ज़्यादा बदली न थी। पन्द्रह साल की वही समीरा जिसने अलबनाही की निगाहों के पहले पैग़ाम पर हाँ कर दी थी। वह दुबला-पतला बदन अब गदरा गया है। मगर इस बदन को तो उसने नहीं देखा फिर क्यों पड़ा है मेरे पीछे?

दो साल का लम्बा अरसा गुज़र गया।

इस बीच चाहता तो ज़ोर-ज़बर्दस्ती से घर में दाख़िल हो सकता था आज उसने ऐसा कुछ कहकर उसके दिमाग़ के जाले को साफ़ कर दिया है। रोज़ मरते जिस्म, उन जिस्मों की भीड़ में एक बदन बढ़े या घटे?

बदन में एक ऐसी इच्छा ने सिर उठाया जो चौंतीस वर्ष की औरत के लिए

एक सहज चाहत समझी जा सकती है। उसकी आँखों के सामने अलबनाही का किताबी चेहरा उभरा और वह मायूस-सी पलँग पर उसी तरह जा बैठी। इच्छा की तरंगें बदन की नस-नस में हिलोरें ले रही थीं। आँखों से बहते आँसुओं ने अब हिचकी का रूप ले लिया था।

हिचकियों की शिद्दत से काँपता उसका बदन डबलबेड पर पड़ा बुरी तरह हिचकोले खा रहा था। अलबनाही की बेचारगी, साँस की तकलीफ़, घुटन से उबली आँखें उसे ताकतीं और वह बेबस-सी दुआएँ पढ़ती तो कभी नाकाबन्दी को कोसने देती तो कभी दूसरे कमरे में जाकर जी भरकर सीने और मुँह पर दोहत्थड़ मारती।

समीरा शौहर को याद करते-करते, सुबकती-सी जाने कब सो गई। परेशान दिमाग़ में सपने ने अपना जाल बुनना शुरू कर दिया। सामने खुले रेतीले मैदान में टैंकों की दौड़ और पीछे जीप में सवार लोग। धुआँ, धूल, रेत के ग़ुबार में भटकती वह, जहाँ जाती है ख़ून से भरे गड्ढे उसे नज़र आते हैं, लाशें-ही-लाशें हैं और उनके बीच वह नज़र आता है, फ़ौजी लिबास में अपनी राइफल पकड़े हुए फिर एकाएक दृश्य बदल जाता है। सामने समन्दर है और रेत पर पड़ा उसका जिस्म, जिस्म के ऊपर एक मर्दाना जिस्म, समन्दर की लहरें पूरी बेताबी से आती हैं और जिस्मों को भिगोकर वापस लौट जाती हैं। शहवत का राग समन्दर की झागभरी गुर्राहट में मिलकर एक नया जलतरंग बन उसके सारे वजूद को लज़्ज़त से सरशार कर रहा है।

आसमान पर पूरा चाँद है। उसकी रुपहली चाँदनी पूरे माहौल को रौशन किए है। वह उसके कानों में जो कह रहा है वह भाषा वह नहीं समझ रही, मगर बदन की गुनगुनाहट का राग उसका अपना है जिसमें वह धीरे-धीरे डूब रही है।

सुबह अज़ान की आवाज़ से समीरा की आँख खुली तो वह पल भर के लिए समझ नहीं पाई कि वह कहाँ है। समन्दर का फैलाव धीरे-धीरे करके कमरे में फैली दुधिया सफ़ेदी में बदला और गीली रेत पर पड़ा उसका नंगा शरीर बिस्तर पर! उसने घबराकर कम्बल खींचा और अपने

ठंडे शरीर को लपेटा।

ग़ुस्ल ज़रूरी है!

उसे सपना याद आया और वह तौबा करती हुई उठी और नल खोला। पानी पिघला बर्फ़ था। नहाना भी ज़रूरी था। इस पानी से नहाने का मतलब था...उसने चोग़ा पहना और तेज़ी से किचन की तरफ़ बढ़ी, गैस पर पानी चढ़ाकर लौटी तो बड़ी बेटी साजदा को सामने खड़ा पाया।

'वह...वह' समीरा सिटपिटाई–सी कुछ कह न सकी और बाल्टी लेने ग़ुस्लख़ाने की तरफ़ बढ़ी।

यह मामा को अचानक क्या हो गया? साजदा ने कन्धे उचकाए फिर गर्दन झटक चाय का पानी चढ़ाया और नाश्ते के इन्तज़ाम में लग गई।

सात

हैरत की बात थी कि वह दो हिस्सों में विभाजित हो चुकी थी। एक हिस्सा माँ का था और दूसरा उस खोई औरत का जो कई बरसों से परेशानियों की राहदारियों में घूम रही थी। आज वह अपने सारे दमख़म के साथ जाग उठी थी। उसके ज़हन में यह सवाल गूँजा, इस जंगज़दा मुल्क में बमबारी, बन्दूक़, ख़ून, मौत की आदी हो गई आबादी को अब बदन की ज़रूरत भी उसी शिद्दत से महसूस होती है जिस शिद्दत से रसीले फलों, तरह-तरह के खानों और शरबतों की जो अब बाज़ार से भी धीरे-धीरे करके ग़ायब हो रहे हैं। बदन की इन दोनों ज़रूरतों के भयंकर अकाल को क्या दुनिया के वे लोग समझ पाएँगे जो इन नियामतों से लबालब हैं।

युद्धग्रस्त समाज की कठिनाइयाँ कितनी नई परेशानियों से हमारा परिचय कराती हैं तब पेट के आगे अपना बदन बेचना, यहाँ तक कि अपने बच्चों तक को बेचना मुश्किल काम नहीं लगता बल्कि मौत को नज़दीक पाकर जीने की तमन्ना ज़्यादा बढ़ जाती है, मुझे ही देखो, जवान बेटियों की भूख के आगे मैं अपनी भूख को दबा नहीं पाती और...उसके सामने बैठ सचमुच उस शाम सब-कुछ भूल गई थी। मैं बाज़ारू औरत नहीं थी तो भी जानती हूँ अगर वह मेरा बोसा लेता तो मुझे अच्छा लगता। शायद उसके साथ एक ज़बर्दस्ती का बलात्कारनुमा सहवास भी...मैं एक इन्सान हूँ। अलबनाही के मरने के साथ मेरे अन्दर की औरत तो नहीं मर गई। मेरी उम्र तो नहीं बढ़ गई। तीस वर्ष की औरत कहते हैं अपने शबाब के शिखर पर होती है और

मैं उसी रास्ते से गुज़र रही हूँ। ख़ुदा की बनाई इन्सानी ज़रूरतों से मुकर तो नहीं सकती हूँ।

लेकिन यह सब उस तरह नहीं हुआ जिसमें आसानी से राह पार होती, यहाँ तो एक कठिनाई भरे रास्ते से ज़िन्दगी दूसरी उलझन भरी पगडंडी पर चल पड़ी है वरना दूसरा विवाह हमारे घरों में होता आया है मगर आक्रमणकारी फ़ौजी अफ़सर से नहीं। यह कैसे अंजाम पा सकता मेरे ख़ुदा!

समीरा आज की रात फिर बिस्तर पर तड़पती रही, कभी लज़्ज़त से तो कभी अज़ीयत से। अगर वह बात सिर्फ़ हमबिस्तरी की करता जो वह आज तक समझती आई थी तब फ़ैसला करना आसान था। दुतकारना वाजिब था मगर यह तो उस पाक मुहब्बत की बात कर रहा था जो ख़ुदा का दूसरा नाम है और दायमी रिश्ते में बँधने का प्रस्ताव सामने रख रहा था। उसका दिल रात के इस पहर नल के नीचे खड़े होकर ख़ुशबूदार साबुन से नहाने का चाहा मगर न बाथरूम में साबुन था न शैम्पू।

उसने अलमारी खोली जिसमें कोई भी सुफ़ियान फ़्रॉक या साया न था, केवल सफ़ेद और काले कपड़ों का अम्बार। उसने बुझे दिल से अलमारी बन्द की और आईने के सामने आन बैठी। चेहरे की रंगत में एक अलग निखार था। आँखों में ज़िन्दगी की चमक।

उसने किचन में जाकर छपाका मार मुँह धोया। उसी एक नल में पानी आता था। बाक़ी टूटे या जमे थे। कम-से-कम ज़िन्दगी की ज़रूरतों में वे सब जी रहे थे। महँगाई ख़रीदारी के आगे मरम्मत की इजाज़त कहाँ देती थी!

लड़कियाँ बेख़बर सो रही थीं। उसने चाय का घूँट भरा और दिन भर का प्रोग्राम बनाया।

उसे चचा को देखे चार-पाँच माह हो चुके हैं। उनके पास जाना भी ज़रूरी है और उनसे मकानवाली बात भी साफ़ करनी है ताकि कोई सहल राह निकल आए और इनकार मुसीबत न बन सके और इक़रार बदनामी के दाग़ में न बदल पाए। उसने लंच पकाने की तैयारी शुरू कर दी।

'मामा, आप किचन में?' लैला ने हैरत से पूछा फिर वह मुँह धोकर चाय

बनाने लगी।

बाक़ी चारों बहनों को भी माँ को इतने चाव से हँडिया भूनते देख सुखद आश्चर्य हुआ। सभी वहीं खड़े-खड़े पनीर रोटी के साथ चाय का घूँट भरती? नाश्ता करने लगीं। आज किचन की रौनक़ का कहना ही क्या था!

लड़कियों के हँसते-मुस्कुराते चेहरे देख समीरा को सुकून मिला।

माँ के जाने के बाद अकेले घर में पाँचों बेमक़सद टहलती रहीं। जो किताबें थीं वह पढ़ डाली थीं एक नहीं पचास-पचास बार, वे सब-की-सब क़ुरान की तरह हिफ़्ज़ हो गई थीं। उनके किरदारों के बारे में इतनी बातें की थीं कि महसूस होता कि वह सब इनके साथ इस घर में साँस लेने लगे हैं।

मरम्मत किए गए कपड़े मसक गए थे। उनको सिलना बेकार की मशक़्क़त थी। बस एक काम था बिना क़ालीनवाले कमरों को सिर्फ़ एक बाल्टी पानी से साफ़ करना। पानी-बिजली की क़िल्लत ने उन्हें जी भरकर नहाना भुला दिया था। दजला किनारे गए वर्षों गुज़र गए हैं। ऐसी हालत में जो चहल-पहल दिखती वह केवल किचन में जहाँ कुछ करने को होता।

घर में एक अजीब-सी बू बस गई थी। शुरू में उस बू ने पाँचों का जीना दूभर कर दिया था। मतली हरदम महसूस होती मगर धीरे-धीरे बिना ताज़ा हवा के पाँचों इस गन्ध की आदी हो चुकी थीं जैसे नेदा बम और गोलियों की आवाज़ की, जिसको सुने बिना उसे नींद नहीं आती थी।

'काश! हम बाहर निकल सकते!' लैला ने सर्द आह भरकर सूराख़ से अपनी आँखें हटाईं।

'मामा देर से लौटेगी...अगर हम उन्हें बिना बताए मोहल्ले का एक राउंड ले लें तो इसमें हर्ज़ क्या है?' सबा बोल उठी।

'मामा को पता चल जाएगा।' उदासी से लैला बोली।

'सो तो है मगर आसमान, दरख़्त देखे, हवा को छुए, सूरज से आँख मिलाए कितने महीने हो गए हैं...मैं बच्ची से जवान हो गई और मेरी तारीफ़ में एक

शब्द भी मेरे कानों ने नहीं सुने।' सबा ने अजीब तड़प से कहा।

'यह तो है...हमारे चाहनेवाले जाने कहाँ छुप गए हैं?' वफ़ा हँसी।

'क़ब्रिस्तान में, जंग के मैदान में, दूसरे देशों में।' साजदा ने धीमे से कहा।

'खो गए...सारे जवान लड़के खो गए...' लैला ने हाथ झाड़ते हुए कहा।

'क्या सब-कुछ ऐसे ही चलता रहेगा?' नेदा की आँखों में मासूमियत थी। इस जुम्ले के बाद काफ़ी देर तक घर में सन्नाटा छाया रहा। सूरज डूब गया था या इमारतों के पीछे छुप गया था पता नहीं, मगर इन कमरों में अँधेरा ज़रूर रौशनदान के शीशों से घुस आया था जो दिल पर भारी बोझ बनकर कुछ करने को उकसा रहा था। पहल कौन करे? किसमें दम है जो दरवाज़ा खोल बाहर निकले और अगर...इसके आगे उनकी हिम्मत जवाब दे जाती थी।

वे बड़े घर की नहीं मगर शरीफ़ घराने की लड़कियाँ थीं। अगर उनके अबु भी मौजूदा सरकार में होते तो वह सुरक्षित स्थान पर आज़ादी से बाहर आती-जातीं मगर अफ़सोस वफ़ादारी अब ग़द्दारी समझी जा रही है और वह मध्यवर्ग की बेबस लड़कियाँ हैं जो हालात का बुरी तरह शिकार हो चुकी हैं, जिनका न ख़ानदान में कोई बचा है और न बैंक में कोई बैलेंस। जो है वह सिर्फ़ उनका कुँवारापन।

बमबारी की आवाज़ें दूर से आती सुनाई पड़ीं, फिर कुछ हवाई जहाज़ों की घड़घड़ाती आवाज़ें और हेलिकॉप्टर की चीख़ें। पाँचों ने अपने-अपने कानों में उँगलियाँ ठूँस लीं जैसे कह रही हों :

'बस...बस बहुत हुआ...अब नहीं सुनी जातीं यह आवाज़ें।'

समीरा जब बस की लम्बी यात्रा के बाद चचा के इलाक़े में पहुँची तो एकाएक उठता रुदन वह रोक न पाई। चमकीली सड़कें सजीं, फूलों की क्यारियाँ, फ़िज़ा में रौशनी और सुन्दर घर और इमारतें।

यहीं उसका बचपन गुज़रा और जवानी। मुल्क के हालात क्या बिगड़े

बहुतों की क़िस्मत को गहन लग गया। मेरा तो सब-कुछ रात-दिन में बदल गया। समीरा ने अचानक आए इस ग़म के सैलाब को दिल से बाँधा और आँखों के कोर ख़ुश्क किए।

उसकी काली चादर उसके बैग में तह पड़ी थी और उसकी जालीदार लम्बी फ़्रॉक से झाँकती उसकी टाँगें खुली थीं जो बाहर की हवा की अठखेलियों से अपनी पोरें खोल रही थीं। काली फूलदार जाली से झाँकता उसका सुनहरा रंग नर्म धूप की पीलाहट से चम्पई हो उठा था। वह तेज़-तेज़ क़दम उठाती चचा के विला की तरफ़ बढ़ी। विला के लॉन की हरी घास की तरावट ने जैसे उसकी आँखों की थकन उतार दी। घने पेड़ के साए में पड़ी कुर्सियों पर घर के सदस्य उसे बैठे नज़र आए। जज़्बात का ज्वार एक बार फिर उमड़ा, मगर धैर्य ने इस बार दामन नहीं छोड़ा।

'समीरा...मेरी जान!' चची ने बैठे-बैठे दोनों हाथ फैला दिए।

'ओह!' चचा ने चश्मा ठीक कर समीरा को ताका फिर हाथ मिला उसके माथे को चूमा।

'कैसी हो? बेटियाँ कैसी हैं? साथ नहीं लाई?'

'सब ठीक हैं...सब वैसा ही चल रहा है।' समीरा ने गला खँखारकर कहा मगर आवाज़ रुँध चुकी थी।

'हमें भी वीज़ा मिल गया है अमेरिका का, पन्द्रह दिन बाद चले जाएँगे...काश! मैं तुम्हें भी साथ ले जा सकता।' चचा इतना कहकर चुप हो गए।

'तुम तो पार्टी की मेम्बर न थी। अलबनाही था न...उस बात को तो...' चची ने समीरा का कन्धा थपका, 'सब ठीक हो जाएगा।'

'अभी इनके लिए ख़तरा टला नहीं है। वरना मैं कब का इन्तज़ाम कर देता। एयरपोर्ट पर हर चीज़ कम्प्यूटर पर फीड रहती है।' चचा कह उठे।

'लड़कियाँ भी अब इस तरह नहीं रह पा रही हैं।' समीरा के दिल में घुटती पहली फ़रियाद निकली।

'पढ़ाई गई...शादी...।' इतना कह चची ने गहरी साँस ली।

'मैं जानती हूँ मेरे साथ आप लोगों ने बहुत किया मगर इन हालात के चलते अपनी मर्ज़ी चल भी नहीं पाती।' समीरा इतना कह चुप हो गई।

तीनों के बीच ख़ामोशी छा गई फिर यह ख़ामोशी तीन-चार लम्हों से बढ़कर ज़्यादा तवील हो गई तो समीरा को लगा कि उसको ज़रूरी सवाल पूछ लेना चाहिए।

'चचा, वह मकान?'

'तुम रहो, वह तुम्हारा ठिकाना है...जो हालात हैं उनमें सिर्फ़ मैं एक काग़ज़ लिखकर दे सकता हूँ ताकि ज़रूरत पड़ने पर काम आए।' इतना कह चचा छड़ी के सहारे खड़े हुए और लड़खड़ाते, पैर जमाते अन्दर जाने के लिए आगे बढ़े। समीरा झटके से उठी मगर चचा ने उसे बैठे रहने का इशारा किया और आहिस्ता-आहिस्ता क़दम उठाने लगे।

'डाक्टर ने चलते रहने को कहा है...इस उम्र इस हालत में हम तन्हा अमेरिका में जाकर क्या करेंगे, मगर मजीद नहीं चाहता हम यहाँ रहें। उसने दौड़-धूपकर किसी तरह यह सब किया है।' चची ने काँपती आवाज़ से कहा।

समीरा ने मन-ही-मन भाई मजीद को दुआ दी कि समय की धार देख वह बदला तो वरना इस बुढ़ापे में चचा-चची और ख़ुद उसकी दोनों जवान बहनों का क्या होता? अलबनाही ने न पार्टी बदली न अक़ीदा और आज उस ज़िद ने उसके परिवार को काँटों की झाड़ में अटका दिया था। अहसान, शर्मिन्दगी, बेचारगी का अहसास बुरी तरह दिल को कचोटने लगा। वह तो यह भी नहीं कह सकती है कि चची आप साजिदा को अपनी बहू बना लें। माना कि उम्र में दस साल का फ़र्क़ है मगर इन हालात में...किस मुँह से कहे? कैसे बताए कि साजदा बेहद हसीन निकली है।

समीरा जो कहने आई थी वह भूल सी गई। नई ज़मीन, नई फिज़ा ने उसका ज़हन थोड़ी देर के लिए पलटकर रख दिया था। उसे अपने जज़्बात बेहूदा और वे सारे अहसासात गुनाह लगे जो कल तक उसके अन्दर के मुरझाए

फूल को शगुफ़्ता करके उसे जीने की उमंग से भर रहे थे!

'समीरा, कुछ परेशान हो?'

समीरा ने चची के चेहरे को ताका।

'जो कहना है बेझिझक कह डालो ताकि बाद में पछतावा न हो।' चची ने उसका हाथ थपका तो उसकी आँखों से बूँद टपक चची के झुर्रियोंवाले अँगूठे पर गिर दो हिस्सों में बह गई।

'शाबाश! समीरा...।' चची का लहज़ा प्यार से भरपूर था।

'हमारे मोहल्ले में पिछले तीन-चार वर्षों से जिस फ़ौजी टुकड़ी की पहरेदारी है उसका अफ़सर है...' इतना कहकर समीरा चुप हो गई।

'चाहता क्या है? क्या लड़कियों पर उसकी नज़र है?' चची का लहज़ा तेज़ था।

'नहीं! लड़कियों का तो उसे पता भी नहीं है...।' इतना कह समीरा ने चची को देखा।

चची की उम्र रसीदा आँखें एक पल में सब-कुछ भाँप गईं। कुछ लम्हे वह पत्थर बनी रहीं फिर बड़ी बेबसी से बोलीं, 'तुम्हारे पास चारा क्या है? यह विला हमने बेच दिया है और...'

कुछ शर्मिन्दा-सी चची बोलीं फिर एकाएक उनके अन्दर का छुपा आक्रोश उनकी ज़बान से निकला। गाली, कोसना, जो भी ज़हर था वह उगलने लगीं। यही ज़बान तो वह भी अक्सर दरवाज़ा बन्द कर बच्चियों से छुपकर बोलती हैं।

गर्मी जब कम हुई, चची शान्त हुईं तो समीरा धीमे से बोली, 'वह शादी करने को कह रहा था। उसकी छह माह बाद कनाडा वापसी है।'

'क्या?' चची को जैसे अचानक करेंट लगा हो।

'हाँ...मैं भी बहक गई थी। मुझे ऊपरवाला माफ़ करे, मुझे कल ही उससे साजदा की बात करनी चाहिए...साजदा को देखकर वह मुझे भूल जाएगा।

मुझे यक़ीन है।' समीरा को तूफ़ान में एक किनारा मिल गया था।

'जवान बेटी के रहते भला मैं...' समीरा ने चची के खुले मुँह और फटी आँखों को सहज बनाने के लिए कहा।

'मैं क्या करूँ, बस यही पूछने मैं आपके पास आई थी!' समीरा ने दो पल ठहरकर कहा। मगर चची अभी सदमे में ही थीं।

'फ़ौरन क़ुबूल कर लो।' वह सहज हो बोली, 'मगर अपने लिए...इस बहाने वह तुम्हारी लड़कियों को सहारा देगा और विदेश में अरब लड़कों की कमी नहीं। पाँचों अपनी पसन्द के शौहर चुनेंगी, ठीक तुम्हारी तरह...' एकाएक चची कहते-कहते हँस पड़ीं। उनके बनावटी दाँतों का जबड़ा हिला।

'पता नहीं...पाँच लड़कियों का बोझ वह क्यों उठाएगा?' ख़ौफ़ज़दा आवाज़ में जैसे समीरा ने ख़ुद से सवाल किया।

'नहीं उठाएगा तो समझना उसका प्यार इम्तहान में फ़ेल हो गया...अगर वह ऐसा होता तो तीन साल तक तुम्हारा पीछा न करता...।'

'वह तो...'

'एक सलाह देती हूँ याद रखना...माहौल के मुताबिक़ हमारे फ़ैसले होते हैं, जो माहौल के बदलते ही ख़ुद भी बदल जाते हैं। अभी तुम जैसे भी हो इस बारूदी ज़मीन से निकलो, यह ज़मीन हमारी हड्डियों की दफ़नगाह बन रही है...जितने इराक़ी बच सकें उन्हें बचाना हम सब का फ़र्ज़ है। बाद में उसने तुम्हें छोड़ा या तुमने उसे क्या फ़र्क़ पड़ता है। प्यार अभी है, कल नहीं है तो रोना क्यों, इन वर्षों में हमने बहुत-कुछ खोया है इसलिए पाने के हक़दार भी हमी हैं। यह मौक़ा किसी भी हाल में समीरा हाथ से मत जाने देना समझीं।'

इतना कहकर चची ने गर्दन में पड़ी छोटी-बड़ी, पतली-मोटी सोने की चेन में से एक उतारी और समीरा के गले में डाल उसका माथा चूमा।

समीरा ने चची को इस तरह देखा जैसे कहना चाह रही हो कि और उस

वतनपरस्ती का क्या होगा जो दिल व दिमाग़ को हरदम जलाए रखती है?

'एक हद तक हमने अपनी ईमानदारी के इम्तहान दिए मगर जब कुछ बदल ही नहीं पा रहे हों तो रास्ता बदलना होगा। ज़िन्दगी को तो जीना है... ख़ुदकुशी उसका जवाब है और न गर्दन झुकाना...समीरा मेरी बात की गहराई को समझना।' चची इतना कहकर चुप हो गईं।

समीरा गहरी सोच में डूब गई थी। दिल चची की नसीहतों की तरफ़ खिंच रहा था और दिमाग़ बच्चियों की तरफ़ जिनका भविष्य उसके हाथों में था। वह माँ थी, औरत होने के बावजूद वह माँ थी।

चचा का लिखा काग़ज़, कुछ नोट और प्यार का आख़िरी तोहफ़ा समेट वह अपने बुजुर्गों से जब जुदा हुई तो उसे महसूस हुआ कि ज़िन्दगी का डोंगा अब माशीलैंड में तन्हा उसे ही खेना है।

शाम गहरा चुकी थी। माँ का कहीं पता न था। लड़कियाँ खुले आसमान और आज़ादी का सपना देखते-देखते वहीं किचन में एक-दूसरे से लिपटी, लुढ़की गहरी नींद में डूब चुकी थीं। किसी बदहोनी से उनके दिल सोते में भी धड़क रहे थे।

रात कुछ ज़्यादा ही काली हो उठी थी। जलते घरों से काले धुएँ कारख़ानों की चिमनी की तरह निकल रहे थे। लाशें सड़कों तक लुढ़क आई थीं, घड़धड़ाते टैंकर सड़कों पर दौड़ रहे थे। आसमान पर पटाखों की आतिशबाज़ी बम बनकर टपक रही थी। इनके बीच माँ का कहीं पता न था। वे पाँचों एक-दूसरे का हाथ पकड़े भाग रही हैं तभी कोई ख़ून से भरा चुल्लू उनकी तरफ़ बढ़ाता है...पी लो...पी लो, खा लो...खा लो-कहता कोई गोश्त से भरी थाल बढ़ाता है।

तुम लोग भूखी हो न लो, लो...

वफ़ा ख़्वाब में भागते-भागते गिरती है और उसकी आँखें खुल जाती हैं। चेहरे पर छलक आए पसीने को उसने नहीं पोंछा न ही सबा का हाथ सीने पर से हटाया।

रोज़ ऐसे ही ख़्वाब पीछा करते हैं जबकि दुआ पढ़कर सोती हूँ कि आज कोई मीठा अच्छा सपना देखने को मिले जिसमें फलों के बाग़ान हों, झरने और फव्वारे हों, हिरन और खरगोश हों, फूल और तितली हों, मगर ऐसा कुछ भी नहीं देख पाती, सिवाय खँडहर के। वफ़ा बेदम-सी उसी तरह पड़ी रही अधमरी-सी घुटी-घुटी सी साँस लेती हुई।

साजदा सोते में कराहती है शायद दर्द की शिद्दत से।

उसके सारे बदन में गोलियाँ बिंध चुकी हैं और वह बहते ख़ून और कीचड़ में पड़ी है, वह सपने में अपनी मौत पर कराह रही है और वफ़ा को लगता है कि उसके बदन में दर्द हो रहा है जिसकी शिकायत वह सारे दिन करती है और आरोप मढ़ती है लम्बी सैर न कर पाने पर जब वह मीलों धूप से नहाए फुटपाथों पर अपने में मगन चलती रहती थी। वफ़ा को सबा के उन ख़्वाबों का भी कोई इल्म नहीं है जो वह सात पर्दों में छुपाकर अपने दिल में रखती है जहाँ कोई हसीन लड़का उसके चेहरे पर अपनी रेशमी नज़रों का मुरछल आहिस्ता-आहिस्ता फेरता है। वह तो सिर्फ़ इस ख़ौफ़ का बयान करती है कि कोई गोली ग़लती से उसका अंग न भंग कर दे या फिर बारूद का कोई ज़र्रा उड़कर उसकी लम्बी नाक को धराशायी या आँखों को काना न कर दे। उम्मी कहती है। घर में सबा की आँखें और नाक सबसे ख़ूबसूरत हैं जब वह कोई कहानी या नॉवेल लिखेगी तो ज़रूर सबा को अपने उपन्यास का किरदार चुनेगी।

लैला कसमसाकर अपनी टाँगें नेदा के नीचे से निकालती है और मुँह-ही-मुँह में बड़बड़ाती है।

'लैला...लैला...' । वफ़ा उसका शाना हिलाती है मगर लैला गहरी नींद में डूबी तकिया की जगह साजदा के हाथ को दोनों हाथों से सीने पर लगाए करवट बदल चुकी है। उसके शब्द कुछ-कुछ देर बाद कमरे में किसी रौशनी की तरह टपकते सन्नाटे को तोड़ते हैं, मगर वफ़ा उसकी आह व बुका को नहीं समझ पाती। वफ़ा का दिल बहनों के लिए दुखता है। दिल चाहता है कि इन सबके ख़ामोश आँसुओं को वह अपने चुल्लुओं में भरकर पी ले और बदले में सिर्फ़ उनकी कामरानी की दुआ माँगे...

'उम्मी...उम्मी,' सोते में एकाएक नेदा ज़ोर से रो उठती है और बाक़ी बहनें नींद टूटने से ख़ुमार भरी आवाज़ में उसे पुकारती हैं।

'नेदा? क्या हुआ?'

वफ़ा अँधेरे में हाथ बढ़ाकर नेदा का सिर सहलाती है। उसका दिल चाहता है कि वह नानी की तरह लोरी गाए और सबकी उचटी, बेचैन नींद को आराम दे। अपने को लाख रोकने के बावजूद उसके मुँह से बोल फूट पड़ते हैं...

उसे महसूस होता है कि उसकी लोरी के शब्द कमरे में घुल एक ख़ुशबू में बदल रहे जो नानी के सीने से आती थी। जब वह रात को सोने से पहले ख़ुशबूदार टेलकम पाउडर अपने स्तनों पर छिड़कती और उन्हें सीने से लिपटाकर गुनगुनाती।

उसने महसूस किया जैसे उस लोरी की लय ने सबको इतमीनान भरा सुकून दिया और उनकी बेतरतीब साँसें बड़े मुलायम अन्दाज़ से बिना आवाज़ के एक लय पर आ-जा रही थीं। वह भी लोरी गाते-गाते जाने कब सो गई...।

आठ

समीरा चचा के घर से निकलकर अपनी दोस्त के घर यह सोचकर चली गई कि जाने इस इलाक़े में फिर आने का मौक़ा मिले या नहीं। कल तक बस या टैक्सी भी कम तादाद में ही सही चलती मिले या नहीं। दिन-ब-दिन बढ़ती निराशा जीने का एक और सलीक़ा लोगों को सिखा रही है।

ज़ैनब दरवाज़ा खोलते ही समीरा के लिपट गई। पता नहीं यह अलबनाही का पुरसा था या फिर अपनों को देखकर पुराने वक़्त की याद थी।

'कैसी हो ज़ैनब!' समीरा ने उसके मेकअप पुते चेहरे को देखा।

'यह पूछती तो अच्छा लगता कि अब तक क्यों जिन्दा हो जै़नब, भाई और माँ-बाप के साथ मर क्यों न गई!'

समीरा उसके इस तरह कहने पर फफककर रो पड़ी। दिल चाहा ज़ोर-ज़ोर से बैन कर छाती पीट सारा चेहरा नाख़ूनों से नोच डाले और खुद से पूछे :

आख़िर क्यों ज़िन्दा हो समीरा?

मगर वह ऐसा कुछ नहीं कर पाई।

'बैठो, बोलो क्या करूँ मैं तुम्हारे लिए?' ज़ैनब ने गिरते आँसुओं को पोंछा।

'कुछ नहीं, तुमने पूछ लिया क्या यह कम है?'

'अच्छा सुन...मैंने अपने लिए हमाम गर्म किया था। तू पहले नहा ले...याद है, तू हमेशा खाने से पहले नहाती ज़रूर थी। मैं कुछ ख़ास पकाती हूँ जब तक, तब तक मुर्तुज़ा भी आ जाएगा।' कहती हुई ज़ैनब ने उसका हाथ खींचा और बाथरूम का दरवाज़ा खोल उसे अन्दर ले गई।

'सब-कुछ मौजूद है, तेरी पसन्द की हर चीज़!' कहती ज़ैनब ने एक ख़ूबसूरत फूलदार लिबास पास की अलमारी से निकाला।

'याद है, आज से कई साल पहले जब तू घर आई थी तो नहाने के बाद यह ड्रेस यहीं छोड़ गई थी।' ज़ैनब बोले जा रही थी और वह हसरत से टब शॉवर और नल को देख रही थी। महीनों गुज़र गए हैं उसे इस तरह से नहाए हुए। जाड़ा गुज़रा...और उसने मुस्कुराकर ज़ैनब को देखा जो दरवाज़ा भेड़ती बाहर निकल गई थी।

उसने नल खोला। मोटी धार को वह चन्द लम्हा गिरते देखती रही फिर उसने ताक़ पर रखे सारे शैम्पुओं का ढक्कन खोल लम्बी साँसें भरीं।

उसने भरे टब के कुनकुने पानी में बब्लबाथ की बूँदें डालीं और अपना दाहिना पैर फेन से भरे टब में डाल उसने बदन मलने का ब्रश उठाया। उसकी उदासी पानी के स्पर्श के साथ धीरे-धीरे मैल की परत की तरह उतरने लगी। कब से जाने वह बाहर निकलने से पहले टमाटर और नारंगी के छिलकों से अपना चेहरा और हाथ मलती थी। वह भी अब महँगे हो गए तो...

जब वह जी भरकर नहा चुकी तो सफ़ेद तौलिया से उसने अपना बदन पोंछा। दिल के कोने से आवाज़ आई :

काश! मैं बेटियों को यहाँ ला पाती। वे भी मेरी तरह जी भरकर नहा लेतीं और पेटभर खाना खा लेतीं।

आईने में उसने अपना दमकता चेहरा देखा और कपड़े पहने। गन्दे कपड़े वह छोड़ना नहीं चाहती थी। कपड़े बचे ही कितने हैं? उसने उन्हें समेटा और थैले में डाला।

माशाअल्लाह! ज़ैनब उसे देखकर चहकी। फूलों से भरी वह छींट समीरा

पर बड़ी फब रही थी।

'तू रुक जा न एक-दो दिन!' ज़ैनब ने उसका मुँह चूमा।

'पाँचों अकेली हैं। सुबह आठ बजे घर से निकली थी और अब दोपहर के दो बज रहे हैं।'

घंटी बजी तो ज़ैनब ने दौड़कर दरवाज़ा खोला और मुर्तुज़ा की कमर में दोनों हाथों का घेरा डाल उससे लिपट गईं फिर ख़ुशी से चीख़ी, 'गेस करो तो, कौन आया?'

'समीरा!'

'कैसे जाना?'

'सामने खड़ी देखकर।' मुर्तुज़ा ने क़हक़हा लगाया।

'सलाम!' समीरा हँसी तो ज़ैनब मुड़ी और किसी बच्ची की तरह रूठी हाथ झटक आगे बढ़ी।

'कैसे हो भाई?' समीरा ने मुर्तुज़ा के बढ़े हाथ की तरफ़ अपना हाथ बढ़ाया फिर दोनों ने एक-दूसरे के गालों को चूमा।

'कैसी हो, पूछना अजीब लग रहा है मगर सच जानो तुम्हें देखकर मुझे बहुत अच्छा लगा। बच्चियाँ कहाँ हैं?' इस तरह मुर्तुज़ा ने पूछा कि समीरा को जवाब न देते बना मगर मुर्तुज़ा तो सब-कुछ जानता था इसलिए ख़ुद ही झेंपकर दूसरे कमरे की तरफ़ बढ़ गया।

'इधर आओ समीरा! बैठो, बस बच्चे आते ही होंगे!' कहती हुई ज़ैनब मेज़ पर रखी प्लेट सीधी करने लगी।

समीरा को याद आया कि ज़ैनब शादी के दूसरे साल बेवा हो गई थी। यह उसकी दूसरी शादी थी जिससे उसके दो बच्चे भी हैं। तब माहौल मुल्क का, ख़ानदानों का अलग था।

एक बार साजदा ने उससे कहा भी था।

'उम्मा, हम आपकी बेड़ी बन गए वरना...आप शादी कर लें ताकि हमें भी सुकून मिले?'

'किससे?'

साजदा चुप रह गई थी।

यह बात तो तय थी कि किसी मरे शख़्स से ज़िन्दगी भर मुहब्बत करते जाना और किसी ज़िन्दा मर्द के साथ पूरी ईमानदारी और ख़ुलूस से गृहस्थी चलाना दो अलग हालात के तकाज़े हैं क्योंकि यह भी एक हक़ीक़त है कि जो रिश्ता अजनबी बनकर शुरू होता है वह बाद में मुहब्बत के रंग पर ख़त्म होता है। यह मुहब्बत भले ही पहली मुहब्बत के शेड से अलग हो मगर ज़िन्दगी जीने की एक व्यवस्था तो होनी चाहिए।

उन दिनों जब अलबनाही बीमार था तो मुल्क के सियासी हालात ऐसे थे कि दोस्त रिश्तेदार जान-पहचानवाले सभी बौखला उठे थे और अब कुछ बाक़ी ही नहीं बचा है।

'लो बच्चे आ गए।'

समीरा को बच्चे पहचान नहीं पाए। माँ के कहने से वह पास गए और समीरा ने उन्हें आग़ोश में भर प्यार किया। खाने पर रौनक़ रही। जब कॉफ़ी बनाकर ज़ैनब बेडरूम में पहुँची तो मियाँ को इशारा किया।

'तुम शादी कर डालो।' मुर्तुज़ा ने धीरे से कहा।

'और नहीं तो क्या' ज़ैनब चहकी।

'मत भूलो कि अलबनाही पार्टी का कार्ड होल्डर था। चचा की वजह से कुछ बीमारी की वजह से हम बचे रहे वरना...'

'पुरानी बातें हैं।' ज़ैनब ने चिढ़कर कहा।

'नहीं, तुम ग़लत सोच रही हो! यह मसला सबसे ज़्यादा इस वक़्त अहम है...बहुत-कुछ गुज़रा बहुत-कुछ गुज़रनेवाला है। ऐसे में कोई शरीफ़ इन्सान जिसके दिल में लड़कियों के लिए ममता भी हो, ढूँढ़ना मुश्किल है।'

'उस वक़्त आबादी की कमी की वजह से ज़्यादा बच्चे पैदा करने के लिए सरकारी पॉलिसी कई तरह की सहूलियतें देती थीं। हम भी मगन थे। आज वह गिनती ज़्यादा लगती है।' समीरा ने ठंडी साँस भर कहा।

'जबकि आबादी पहले से कहीं कम हो चुकी है।' ज़ैनब ने दोस्त के कन्धे पर हाथ रखा।

'बाहर निकलने को मैं बुरा समझता था। गया भी नहीं और दक्ष लोगों की कमी थी। क़िस्मत की बुलन्दी से मैं ठीक-ठाक जगह हूँ मगर कल का क्या पता, इसलिए कभी-कभी मेरे दिल में भी बग़दाद छोड़कर बाहर जाने का ख़्याल आता है।' मुर्तुज़ा ने थके लहज़े से कहा।

समीरा का दिल चाहा कि वह अपनी उलझन इनके सामने रख दे मगर फिर ख़्याल आया कि ये वही बातें तो कर रहे हैं कि कोई शरीफ़, बड़े दिलवाला मर्द अगर मिला तो...

'देखो, हम तो उधर क्या आ पाएँगे! हज़ार तरह के झंझट सुरक्षा को लेकर हैं मगर तुम जब दिल चाहे आती रहना। घर कैसा है वहाँ के इलाक़े तो...' इतना कह ज़ैनब चुप हो गई।

'जो तुमने सुना, सही सुना है।' कहते-कहते समीरा उदास हो गई।

'थोड़ी देर आराम कर लो।' ज़ैनब ने उसकी तरफ़ कुशन बढ़ाए तो वह इनकार न कर सकी।

मुलायम साफ़ बिस्तर, इत्र से भरा कुशन, साफ़-सुथरा कमरा, एक नशा था जो धीरे-धीरे समीरा की मांसपेशियों को अपनी गिरफ़्त में लेने लगा और वह बात करते-करते गहरी नींद में डूब गई।

शाम ढले जब समीरा की आँख खुली तो वह चौंककर उठ बैठी। घड़ी पर नज़र पड़ी तो शाम के छह बज रहे थे। उसने घबराकर इधर-उधर देखा फिर पलँग से उतर बाथरूम की तरफ़ बढ़ी।

'थोड़ी देर और आराम कर लेतीं।' ज़ैनब ने कहा।

'मैं चलूँगी।' वह घबराई आवाज़ में बोली।

'किस दिल से कहूँ...मैं तुम्हारे लिए चाहकर भी कुछ न कर सकी, बस इस बात का मलाल रहेगा।' ज़ैनब सुबक पड़ी।

'तो ठीक है तुम्हारी इजाज़त हो तो मैं समीरा से निकाह कर लेता हूँ, क्यों ठीक रहेगा?'

मुर्तुज़ा के लहजे की शरारत को ताड़कर भी ज़ैनब हँसी नहीं बल्कि दो पल गहरी नज़रों से मियाँ को ताकती रही फिर धीरे से बोली, 'अगर सच कहते तो मुझे बड़ी ख़ुशी मिलती, मगर ऐसी बातें फिर कभी मज़ाक में भी मत कहना।'

समीरा इतना सुन ज़ैनब से लिपट गई और मुर्तुज़ा के चेहरे पर शफ़क़त का अजीब रंग उभरा।

'अपना ख़्याल रखना,' इतना कह उसने समीरा को फिर से लिपटाया, प्यार किया और फफककर रो पड़ी।

'मेरा जाना मुश्किल न बनाओ।' समीरा ने उसके हाथ को आँखों से लगा कहा।

शाम रात में ढल चुकी थी। दो भारी बैग उठाए वह सुरक्षित इलाक़े के ग्रीन चैनल से निकल बस स्टाप पर खड़ी हो गई।

'बस नहीं आएगी।' पास से गुज़रती औरत ने फ़ोन पर किसी से कहा। यह सुनकर समीरा ने घबराकर सामने देखा।

'बम फटा है, बस की सारी सवारियाँ ख़त्म।' वही औरत दूसरा जुमला कह आगे बढ़ गई।

अब क्या होगा? समीरा ने आसमान को ताका फिर अपने चारों तरफ़ फैले अँधेरे और सन्नाटे को। एकाएक बमबारी की आवाज़ें और गोलियों के छूटने की आवाज़ आने लगीं। समीरा का दिल ज़ोरों से धड़कने लगा। कानों में नेदा की आवाज़ आने लगी :

उम्मी...उम्मी, भूख लगी है।

'क्या बात है!' सुरक्षा जीप ठहरी।

'बस आई नहीं।' समीरा ने संक्षिप्त-सा उत्तर दिया।

'बैठो!' ड्राइवर के पास बैठे शख़्स ने कहा तो वह उसका हुक्म टाल न पाई और पीछे से जीप पर चढ़ी।

'जाना कहाँ है?'

'अबुनवास,' जान-बूझकर समीरा ने छोटा-सा उत्तर दिया।

'शिनाख़्ती कार्ड।'

'वह तो घर के साथ जल गया था।'

तभी फ़ोन घनघना उठा और वह आदमी बातों में लग गया। समीरा ने दिल-ही-दिल में दुआ पढ़नी शुरू की फिर, सड़क किनारे लगी भीड़ को देख वह बोली, 'जनाब, यहीं उतार दें। उस भीड़ में मेरा भाई खड़ा है, मैं उसके साथ वापस घर चली जाऊँगी।'

'ठीक है।' जीप रुकी और समीरा तेज़ी से आगे बढ़ी।

कुछ दूरी पर उसका अपना इलाक़ा था। जीप गुज़र गई थी, उसने चादर पर्स से निकाली और धीरे-धीरे करके चलना शुरू किया। घर होगा कोई दो-ढाई किलोमीटर दूर मगर वह अब पूरे इतमीनान से आधी रात तक गली-दर-गली मुड़ते हुए घर पहुँच जाएगी।

सुबह बहनों ने उठकर माँ को सोता पाया।

बदन पर ख़ूबसूरत लिबास था और बालों से शैम्पू की भीनी-भीनी सुगन्ध बड़ी भली लग रही थी।

सिरहाने रखे बड़े लिफ़ाफ़ों को उठाकर वे दूसरे कमरे में ले गईं और उसे ज़मीन पर उलट दिया।

रंग-बिरंगी चीज़ें एक साथ ढेर की शक्ल में फ़र्श पर गिरीं।

शैम्पू, साबुन, क्रीम, बिस्कुट, लिपस्टिक, टेलकम पाउडर और खाने की चीज़ों के साथ कुछ फाँकें और रंगीन स्कार्फ़ थे।

'दादी ने दिए होंगे।'

'काश! हम उनके पास जा पाते?'

'लगता है, उम्मी नहाई हैं।'

'मज़ेदार खाना भी खाया होगा।'

'अच्छा तो...हम उनके मुँह से सारी बातें सुनकर कई दिनों तक ख़ुश होते रहेंगे।'

'यह तो है!'

पाँचों एक-एक चीज़ को कई-कई बार देख रही थीं और ख़ुश हो रही थीं।

'उम्मी को अब उठना चाहिए!'

'सोने दो।'

'लगता है, दोपहर ढलनेवाली है।'

'मैं अभी देखकर आती हूँ कितने बजे हैं।'

इतना कहकर लैला खिड़की की तरफ़ बढ़ी और झिरी से आँख लगा देखने लगी फिर बोली, 'इस वक़्त दो बजे हैं। बाज़ार में सन्नाटा है यानी दुकान में कोई ग्राहक आ-जा नहीं रहा है और दुकान के ऊपर का शेड हट चुका है।'

'कुछ पकाते हैं।' इतना कह सबा उठी और आईने में देख उसने हथेली पर दो उँगली लगा चेहरे पर इस तरह जगह-जगह रखी जैसे क्रीम लगाने जा रही हो।

'यह बताओ, जब हम यहाँ से आज़ाद होंगे तो सबसे पहले कहाँ जाना चाहेंगे?' लैला ने पूछा।

'लाइब्रेरी!' वफ़ा बोली।

'सैंडिल की दुकान।' साजदा बोली।

'मैं तो ब्यूटी पार्लर जाऊँगी।' सबा हँसी।

'मैं पेस्ट्री शॉप।' नेदा बोली।

'तुम कहाँ जाओगी?' चारों ने लैला से पूछा।

'एक दूल्हे की तलाश में, जिसके पास छह गज़ लम्बी गाड़ी, लम्बे-चौड़े स्वीमिंग पूल के साथ हसीन बँगला और मेरे पर्स में शॉपिंग के लिए...' लैला अभी इतना ही कह पाई थी कि समीरा की आवाज़ उन्हें सुनाई पड़ी।

'सब बहुत ख़ुश हो?' माँ ने जम्हाई ले अँगड़ाई तोड़ी।

'यस उम्मी, जाने क्यों लग रहा है कि हमें जल्द ही बाहर निकलने का मौक़ा मिलेगा...ये फ़ौजें वापस जाएँगी और हम आज़ाद होंगे...आज़ाद होंगे।' लड़कियों की तालियाँ, चुटकी, मुँह से निकाली ख़ुशी की हुर-हुर आवाज़, नाचते क़दमों की थिरकन को आज समीरा ने नहीं रोका, बल्कि वह भी उनके साथ ताली बजाने में शामिल हो गई।

जिन चीज़ों के पाए जाने का यक़ीन था महान शक्ति को वे इराक़ में नहीं मिलीं मगर जो चीज़ें वहाँ नहीं थीं वे सब-कुछ वहाँ पहुँच गई हैं। प्रचार-प्रसार के बावजूद झूठ के पर्दों से सच का चेहरा नज़र आने लगा था मगर यह सच करेगा क्या? मुर्दों को जिला देगा? बेक़सूरों के वे साल लौटा देगा जो उन्होंने बेकार गँवाए हैं? इराक़ में कौन किससे लड़ रहा है? मगर मर तो इन्सान रहा है।

इन्सान तो पैदा ही मरने के लिए होता है।

वाह! यह कोई बात हुई?

तो फिर बात यह होगी...सुनामी आया बहा ले गया करोड़ों को, भूचाल आया, दबा गया करोड़ों को, अकाल पड़ा इन्सान भूखा मर गया तो जंग

में इन्सान मरा तो क्या बुरा? आख़िर किसी कारण को लेकर मरा मगर बाक़ी मौतें तो उसे बेमक़सद मिलीं, अब है तुम्हारे पास कोई जवाब?

जगह-जगह तरह-तरह की बातें।

जनाज़ों का आना-जाना, थके उदास लोगों की भीड़।

सब-कुछ देखकर लौटी थी समीरा।

बेटियों से उसने उतनी ही बातें बताईं जो काम की थीं।

उसका दिल चाह रहा था कि वह बाहर निकले और नल ठीक करनेवाले को ले आए। कम-से-कम एक बाथरूम में तो मोटी धार का पानी आ सकता है। बिल तो देना ही पड़ता है। गर्मी चैन से गुज़रेगी और लड़कियाँ बदन की तपिश से नजात पा लेंगी।

उसने जैसे ही चादर सिर पर डाली लड़कियों की नज़रें सवाल बन उसके चेहरे पर टिक गईं।

'तुम लोग हाल में रहना, मैं किसी को लेकर लौटती हूँ।' समीरा ने चिन्ता भरी आवाज़ से कहा।

'किसे, मर्द को या औरत को?'

'पलम्बर को।'

लड़कियों की बेचैन आँखों और तेज़ धड़कते दिल की रफ़्तार सहज हुई।

वे हाल में पहुँच गईं और सुरमई अँधेरे में अपने दोनों हाथ फैला किसी परिन्दे की नक़ल करती हुई उड़ान भरने लगीं। उन्हें अपना 'बैले स्कूल' का चिकना काला फ़र्श याद आ रहा था और अपनी डांस टीचर भी। साजदा और लैला किसी और दुनिया में थीं। ज़हन में मुनीर बशीर का सन्तूर बज रहा था, वफ़ा और सबा जोड़ा बनकर एक-दूसरे को महबूब मानकर मस्त थीं। उनके ज़हन में उम्मेकुलसूम की लरज़ती आवाज़ समाँ बाँधे थी जो अपने महबूब को रेगिस्तान की वीरान और तन्हाई में जैसे पुकार रही हो।

इनसे अलग नेदा सिर्फ़ गोल-गोल घूम रही थी। उसके ज़हन में घुमड़ते

बमों की बढ़ती-घटती तानें थीं। गोलियों की बौछार की ध्वनियाँ थीं जो उसे किसी लय की तरह अपने शरीर में फैलती महसूस हो रही थीं जो उसके बदन को अजीब-सी लचक दे रही थीं।

'आओ...आओ!' दरवाज़ा खुलने के साथ माँ की आवाज़ आई, मगर वह सब उसी तरह तरंग में डूबी रहीं।

'अँधेरा...काम कैसे करूँगा?' झिझकती आवाज़ गूँजी तो उसने आगे बढ़कर मीटर से तार जोड़ा। कमरा रौशनी से भर उठा।

पलम्बर ने अपनी खट-पट शुरू कर दी थी। माँ ने हाल के दरवाज़े पर बाहर से कुंडी लगा दी।

'एक वक़्त में इन्सान अपने पेट का दोज़ख़ भर ले या फिर रौशनी में बैठ एक-दूसरे के चेहरे पर बढ़ती मैल की परतें और गालों की झाँइयाँ देख आहें भरता रहे...।' माँ बड़बड़ा रही थीं। धीमे-धीमे जो सिर्फ़ वह सुन सकती थीं।

'अँधेरा बहुत-सी सच्चाइयों को निगल लेता है। वह तड़पते जज़्बात को थपक-थपककर सुला देता है...वही मैंने किया, सिर्फ़ जीने भर की ज़रूरत पर निगाहें रखीं वरना...वरना इस महँगाई में और तंगदस्ती में हम कब के मर चुके होते, जैसे-हमारे खेत और परिन्दे। इस सबके बावजूद हमारी रूह नहीं मरी...हम हँसते हैं, बातें करते हैं और नाचते हैं, मन-ही-मन ऊँची तान से गाते भी हैं।'

'नल की सारी फिटिंग गल चुकी है, नए पाइप डालने होंगे, ख़र्चा काफ़ी होगा...' पलम्बर ने कहा।

'फिर कभी...लम्बा काम अभी नहीं यह लो' समीरा ने सन्तोष भरी आवाज़ से नोट पलम्बर के हाथ पर रखा और दरवाज़े की तरफ़ बढ़ी।

'मैंने पलम्बरी पेट के दोज़ख़ भरने के लिए की है वरना मेरा मेन रोड पर स्टोर था। जल गया। ख़ानदान का पेट भरना है, फिर ज़रूरत पड़े तो बुला लेना, मैं कम पैसों में भी काम कर दूँगा।' कहता वह आदमी बाहर जैसे

ही निकला समीरा ने दरवाज़ा बन्द किया और बिजली का कनेक्शन निकाल दिया। फिर दरवाज़े की कुंडी खोल वह कमरे में दाख़िल हुई तो पाँचों को ज़मीन पर औंधे लेटे देखा। छोटे-बड़े घड़ियाल...माँ ने ख़ौफ़ज़दा हो अपने क़दम पीछे घसीटे फिर दूसरे लम्हे ही हँस पड़ी।

'मेरा वहम! आह!'

कमरे की बू में भारीपन था। उसको वहाँ ठहरना मुश्किल-सा लगा। वह लौटने ही वाली थी कि ख़्याल गुज़रा नल में पानी नहीं आया है। बच्चियों को यह बुरी ख़बर देना होगा...वह आगे बढ़ी तो उसे महसूस हुआ लड़कियाँ सो नहीं रही हैं बल्कि बेहोश हैं। वह बदहवास- सी घर के बड़े दरवाज़े की तरफ़ लपकी और तेज़ी से उसके दोनों पट खोल दिए।

पतझड़ की तरफ़ बढ़ती बहार का खुनकी भरा झोंका घर में दाख़िल हुआ और खुले हाल के दरवाज़े में दाख़िल हो गया। माँ का पूरा वजूद काँपकर रह गया। उसके बदन की छींटदार फ़्रॉक का घेरा छतरी बन उसको उड़ाने की कोशिश में लग गया, जिसको उसने दोनों हाथों से बड़ी मुश्किल से दबाया और अन्दर के ख़ौफ़ से लरज़ उठी।

ताज़ा हवा और ठंडे पानी से नहाकर ये लड़कियाँ क्या पहले वाली लड़कियाँ रह पाएँगी?

उन्होंने बाहर निकलने की ज़िद की तब सड़क किनारे खड़े बन्दूक़धारियों से क्या वह उन्हें बचा पाएगी और जो ख़ुद वह अपनी मर्ज़ी से...तो वह उन्हें कैसे रोक पाएगी? बेहतरी उनकी इसी में है कि वह कुछ दिन और हवा, पानी, रौशनी से दूर रहें।

वह मुड़ी और हाल में दाख़िल हुई जहाँ बेटियाँ कसमसाती-सी उठने की कोशिश में लगी थीं। उसका दिल यासमीन की कली की तरह खिल उठा। उसकी पाँचों बेटियाँ ज़िन्दा थीं।

उस रात दरवाज़ा फिर बन्द रहा। रौशनी भी बन्द रही। लेकिन अरसे बाद

पेट भरकर घर का पका खाना खाकर लड़कियाँ गहरी नींद में डूब चुकी थीं। ऐसी नींद में जो उन्हें बरसों बाद मिली थी।

समीरा ज़रूर जाग रही थी। चची की दी उस सोने की ज़ंजीर के बाद उसके पास कोई क़ीमती चीज़ नहीं बची थी जिसको बेचकर वह आगे के दिनों को सुकून से पार करने का भ्रम पाल सकती।

उसको बहुत-कुछ याद आ रहा था। उस याद ने फ़िक्र और बढ़ा दी थी कि पढ़ाई में पिछड़ जानेवाली इन लड़कियों का भविष्य क्या होगा? इनको किस तरह की नौकरियाँ मिलेंगी और किस तरह के जीवनसाथी? उसके बदन में भय की लहर इस ख़्याल से दौड़ी कि कहीं...कहीं उन्हें...नहीं।

वह तड़पकर बिस्तर से उठी और पूरे विश्वास से कह उठी, 'मैं काम करूँगी...मैं दूसरों के बर्तन साफ़ करूँगी...मैं...मैं...मगर तुम्हें काम मिलेगा कहाँ...कहाँ?'

उसका सिर घूमने लगा और एकाएक तेज़ धमाका हुआ और फिर उसे कुछ याद नहीं रहा।

कुछ मील की दूरी पर जो बम फटा था उससे हज़ारों जानें एक साथ चली गई थीं। यह बात भी समीरा को मार्क से तब पता चली थी जब वह उसकी ख़ैरियत लेने आया था।

'तुमने कुछ सोचा?' उसने जाते-जाते पूछा था।

'हाँ।' उसने गर्दन हिला अपनी वहशत भरी आँखें ऊपर उठाई थीं।

'ठीक है, फिर बात करते हैं।' इतना कह वह तेज़ी से चला गया था।

पतझड़ की हवाओं में तेज़ी आ गई थी।

पत्ते पेड़ों से लगातार झड़ रहे थे।

वह कुछ लम्हे सीढ़ियों पर खड़ी मार्क को जाता देखती रही और सोचती रही।

मेरे एक तरफ़ जन्नत है तो दूसरी तरफ़ दोज़ख़!

लड़कियाँ पिंजड़े में रहने की आदी हो चुकी थीं। वह इसी में ख़ुश थीं कि एक दिन पानी आएगा मोटी धार से जब वह सुगन्धित शैम्पू और साबुन से जी-भरकर नहाएँगी। एक-दूसरे के बालों को सूँघती उनमें ब्रश करेंगी। वह हलके-हलके गुनगुनातीं या फिर छोटे-छोटे क़हक़हे लगातीं।

मैंने ज़ुल्म किया, रौशनी का रिश्ता इनके दिलों से किस तरह काट दिया, मैं माँ नहीं, जल्लादिन हूँ...

मगर मैं करती भी क्या? उन्हीं माँओं की तरह मैं भी लड़कियों की लाशें पहचानने से इनकार कर देती या फिर ख़ामोशी से ज़हर भरा कौर पूरी ममता के साथ उनके मुँह में ठूँस देती? सफ़ेद चमड़ी की ज़्यादतियों का एलान वह अपनी बेटियों की गोद में कैसे देख सकती थी जबकि मर्ज़ी से किए गए विवाह के बाद उनको ख़ानदान बड़ी बेरहमी से नकार देता है।

समीरा का माथा दुख रहा था। उसका बदन गर्म था। वह अन्दर-ही-अन्दर काँप रही थी इस ख़्याल से कि वह दुश्मनों के आगे आत्मसमर्पण करने जा रही है...बिल्कुल नई तरह की ग़द्दारी।

बुख़ार बढ़ता गया और ख़फ़क़ानी कैफ़ियत-सी उस पर तारी होने लगी।

उसने देखा वह होटल अलीबाबा के डायनिंग हाल में है। अलबनाही और वह खाना खा रहे हैं। एकाएक बैली नर्तकी दाख़िल होती है और अपनी नंगी कमर को हज़ार बल देती है। सभी मर्द-औरत ताली बजा रहे हैं। मेज़ों पर से जूठे बर्तन हटने लगे और नर्तकी मेज़ पर चढ़ झटके देने लगी जिसके चारों तरफ़ ताली बजाते ग्राहकों की भीड़ थी।

एकाएक उसे लगा कि यह नर्तकी तो वह ख़ुद है और सबको रिझाने के लिए वह अपने उरोजों को थिरकाकर जब झुकाती है तो मर्द हाथ बढ़ा उसके कपड़े में नोट खोंसते हैं। दूर खड़ा अलबनाही उसे चुपचाप देख रहा है।

वह मस्त हो रही है और उसके ऊपर से निछावर होनेवाले नोट कटे कबूतरों के पंख की तरह उस पर से गिर रहे हैं। शोर, जोश और दीवानगी जाने कैसे उसके पोर-पोर को फड़का रही थी फिर उसके बदन की तरफ़ बढ़ते हाथ उसे छूने लगते हैं और वह निर्वस्त्रा फ़र्श पर गिर पड़ती है और मर्दों की भीड़ उस पर से गुज़रती जाती है और वह...पीड़ा की शिद्दत से चीख़ती है...चीख़ती है...सामने आकर कोई खड़ा होता है...

अलबनाही...नहीं! यह तो कोई और है...चेहरा धुँधला होते-होते ग़ायब हो जाता है और आसमान की सियाही बारिश में बदल जाती है।

बिजली की चमक और कड़क के साथ बारिश, मूसलधार बरसने लगती है और नीम बेहोश-सी समीरा कीचड़ में लथपथ भीगती जाती है।

पतझड़ की पहली बारिश की इस घनगरज को लड़कियों ने भी सुना और वह एक-एक करके दरवाज़े की तरफ़ बढ़ीं।

दरवाज़े के खुलते ही बौछार से भरा अन्धड़ चारों के नाज़ुक बदन को फूल से भरी टहनी की तरह हिला गया।

बाहर अँधेरा था!

सड़क की रौशनी गुल थी।

आसमान बरस रहा था।

वह चारों एक-दूसरे का हाथ पकड़े आहिस्ता-आहिस्ता सीढ़ियों पर क़दम रखती नीचे उतरीं और बारिश के गिरते पानी में नहाने लगीं। यह नहाना कई दिन पहले के नहाने की ख़्वाहिश से जुदा था।

वे एक-दूसरे से लिपटी कुछ देर तक खड़ी भीगती रहीं फिर जाने किस जज़्बे के तहत उन्होंने एक-दूसरे को चूमा और मुँह खोल गिरती बूँदों को पिया। उनका सारा बदन एक अजीब लज़्ज़त से आशना हो रहा था। एक-दूसरे के स्पर्श से वह सिहर रही थीं।

सीढ़ी पर जाने कब नेदा आकर बैठ गई थी।

वह अँधेरे में पानी की झिलमिलाहट को बहनों के सरापा पर बहता देख रही थी। उसके लिए यह बिल्कुल नया अनुभव था। उसे याद नहीं पड़ता कि उसने होश सँभालने के बाद इस तरह की बारिश देखी हो। उसने याददाश्त पर ज़ोर डाला। आसमान से पानी का यूँ गिरना अजूबा था। वह दम साधे खुली हथेली पर बूँद के बताशे को बनता-बिगड़ता देखती रही।

अँधेरा जैसे रौशनी में बदल गया था। सब-कुछ साफ़ नज़र आ रहा था। पेड़ों के झुरमुट, इमारतें, सड़क, कारें। एकाएक नेदा को डर लगा, अगर उम्मी को पता चल गया तो?

वह तेज़ी से उठी और घर के खुले दरवाज़े की तरफ़ मुड़ सीढ़ी चढ़ने लगी। पहला उठा क़दम वहीं जम गया। माँ पहली सीढ़ी के खम्भे से लगी खड़ी थीं।

समीरा जो कुछ देख रही थी वह सिर्फ़ माँ की नज़र नहीं थी बल्कि एक इन्सान की जो हक़ीक़त में औरत के रूप में थी। आज तक चलनेवाली राह जिस पर वह अब तक चलती आई थी आज की रात ख़त्म हो गई है और अब उसको या पूरे परिवार को एक नए रास्ते पर मुड़ना पड़ेगा। नई सड़क को चुनना पड़ेगा।

वह नई सड़क क्या होगी?

ज़िन्दगी के मोड़ की यह राह उन्हें किधर ले जाएगी?

माँ ने आसमान की तरफ़ देखा जैसे कह रही हो-जिसने रहमत की बारिश की वही रास्ता दिखाएगा।

नौ

समीरा चाहने के बाद भी अपने दिल की बात मार्क से नहीं कह पा रही थी। ज़िन्दगी ने दोबारा शरबत से लबरेज़ प्याला उसके सामने रखा था। उसे चखने, पीने की अपनी आरजू को भी वह रोक नहीं पा रही थी और न ही इस हक़ीक़त से चश्मपोशी कर पा रही थी कि उसकी एक बेटी उसकी हमक़द हो चुकी है। माँ होने के नाते उसे यह क़ुर्बानी करनी होगी कि आबेहयात का घूँट उसे भरने दे। यह उसी का अधिकार है। उसे मदहोशी की इस कैफ़ियत से निकल मार्क की एक मुलाक़ात साजदा से करानी पड़ेगी ताकि वह भी अपनी दिमाग़ी कैफ़ियत से बाहर निकल सके। लेकिन हिम्मत...दरअसल कमज़ोर तो वह ख़ुद हो रही है। प्यास की तीव्रता और चाहत का सैलाब उसकी क़ुर्बानी में बाधक बन रहा है। वह बीनाई रखकर भी नाबीना बन रही है।

उसे आज की शाम हर हालत में मार्क से साजदा के बारे में बात करनी होगी।

मगर समीरा, तुम सज तो किसी और अन्दाज़ से रही हो, वासना का यह बुख़ार जब उतर जाएगा तो?

यह वासना नहीं है...शहवत नहीं है...मैं क़ुबूल करती हूँ कि मैं उसे पसन्द करने लगी हूँ मगर इतना नहीं कि कोई समझदारी के फ़ैसले में मुहब्बत आड़े आ जाए।

बेवक़ूफ़ औरत! यह चाहत ही है कि अपने सारे गुनाह अपने सारे फ़र्ज़ और सवालों से आज़ाद होना चाहती हो एक ख़ास ज़िहानत के साथ ताकि तुम अपने आगे या किसी और के सामने शर्मिन्दा न हो सको।

मैं किसी की जवाबदेह नहीं हूँ मगर मेरी ममता...

समीरा अपने से बातें करती जिरह करती अपने को हसीन बनाने में लगी रही। उसकी ख़ाली ज़िन्दगी का यह दोमुँहा जज़्बाती ज्वालामुखी था जो फटनेवाला था मगर उसका लावा किस दिशा की तरफ़ जाता है, पता नहीं?

घर से निकलते ही मार्क की बुलेटप्रूफ़ गाड़ी उसे नज़र आ गई थी।

दजला के ऊपर बने पुल पर दोनों खड़े शाम के सूरज को डूबता देख रहे थे। आसमान कई रंगों के साथ सुरमई होती फ़िज़ा में अपना रंग बिखेर रहा था। सूरज का गोला आधा डूब चुका था।

उसने मार्क की हरी आँखों में उसका नारंजी अक़्स देखा।

'काश! हम इस सूरज के उगने तक यहाँ खड़े रह सकते।' मार्क ने अजीब हसरत से कहा। फिर खजूर के पंक्तिबद्ध दरख़्तों को देख वह हँसा। दजला बड़ी आहिस्तगी से बहती रही।

'जानती हो, यह पेड़ चाँदनी रात में किस क़दर ख़ूबसूरत हो उठता है ख़ासकर तब जब चाँदनी से नहाई रेत रह-रहकर चमक उठती है, मैं शायर होता तो जाने कितने क़सीदे अभी तक लिख चुका होता!'

'अंग्रेज़ी अदब में अच्छा इज़ाफ़ा होता,' समीरा ने कहा।

'अरे हाँ, तुम तो अंग्रेज़ी भाषा साहित्य की उस्ताद हो, मैं भूल ही गया था...मौक़ा मिला तो क्या फिर से कोई यूनिवर्सिटी ज्वाइन करना चाहोगी?'

'क्यों नहीं,' उत्साह से समीरा कह उठी ।

'मुझे भी तब कोई नया काम तलाश करना होगा।'

'तुम्हें?'

'चलो, ज़्यादा देर ठहरना यहाँ सेफ़ नहीं है।'

'हाँ...शायद!'

मार्क ने गाड़ी का रुख़ किधर मोड़ा उसे ध्यान नहीं मगर वह अपनी बात कहने की भूमिका में ज़रूर उलझी रही। यह भी अजीब विडम्बना थी कि औरत मर्द के साथ थी। चाहत भरी नज़रों से उसे देख रही थी और दिल-ही-दिल में माँ के कर्तव्य को पूरा करने की हिम्मत भी जमा कर रही थी।

'दिल तो चाह रहा है कि हम बाहर किसी होटल में बैठते, मगर माहौल इसकी इजाज़त नहीं देता।' मार्क ने धीरे से कहा फिर गहरी नज़रों से समीरा को देखा।

'तुम्हारे चेहरे पर सबसे ख़ूबसूरत तुम्हारी आँखें हैं...यक़ीन करो।' मार्क ने कहा।

'शुकरन!' झेंपी-सी मुस्कान के साथ समीरा बोली।

'मेरे डैड भी फ़ौज में रहे और ईजिप्ट की जंग में उनका बम ब्लास्ट में...तब मैं कुल चार साल का था। डैड की तस्वीरें आर्मी लिबास में जब भी टँगी देखता तो सोचता कि मैं भी लड़ने जाऊँगा। माम का सपना था मैं सर्जन बनूँ मगर वह सपना उनके दिल में धड़कता रह गया और घर-बाहर मैं यही सुनता रहा कि मेरे डैड ऐसे थे, वैसे थे, उनकी जोड़ का तब कोई था नहीं, वग़ैरह वग़ैरह। दिल पर वह छबि और ख़्वाहिश इतनी गहरी अंकित हुई कि पूछो मत, कुछ और सूझता ही न था।' मार्क इतने मन से हँसा कि ख़ुद समीरा को भी हँसी आ गई।

'यह मत समझना कि मैंने मास्टर की डिग्री नहीं ली क्योंकि माँ की ज़िद थी मगर दिमाग़ हमेशा...आज सोचता हूँ काश! काश! सर्जन होता और डॉक्टर ज़िवागो की तरह...वह मेरी पसन्दीदा फ़िल्मों में से एक है।'

'और लारेन्स ऑफ अरेबिया?'

'ऑफकोर्स!'

इसी के साथ दोनों की हँसी एक साथ उभरी।

'तुम्हें फ़िल्में देखने का शौक़ है?'

'नाटक देखना ज़्यादा अच्छा लगता है, अगर ऑपेरा हो तो कहना क्या!'

'मेरी एक गर्लफ्रेंड थी वह ऑपेरा थिएटर में काम करती थी।'

'गर्लफ्रेंड?'

'गर्लफ्रेंड...बीलवेड नहीं।' मार्क अजीब शरारत भरी हँसी हँसा तो समीरा झेंपकर रह गई।

'मैंने इन गुज़रे वर्षों में बेशुमार बदन देखे, ख़ून से लथपथ...हमारे मुल्क में जब अपने सिपाहियों की लाशें जाती हैं तो सोगवारी यहाँ से कम वहाँ नहीं छाती। बल्कि दुगुनी बढ़ जाती है। हम जैसे लोग जो दोतरफ़ा नज़ारा करते हैं वह किसी नतीजे पर पहुँच जाते हैं। इस आक्रमण का विरोध हुआ मगर माना किसने? सत्ता के विचारों को पहले कभी अवाम बदल पाते थे मगर अब नहीं।' मार्क ने अपनी रौ में बहुत-कुछ कह दिया था।

'तुम्हें पता है, हम एशियाई लोग...'

'अपने को यूँ न बाँटो! हम इन्सान हैं, हम सब एक तरह से सोचते हैं। जो अलग तरह से सोचते हैं वह तुम्हारे यहाँ भी हैं और हमारे यहाँ भी। इन्सानी रिश्ते इन सबसे ऊपर होते हैं, वे छोटे-छोटे कारावासों में अपने को बन्द नहीं रखते हैं।'

'तुम समझो तो मेरी परेशानी, हमारी स्थिति...'

'जानती हो, जब पहली बार बग़दाद आया था तो इस इरादे से आया था कि इन कूढ़मग्ज़ अरबों में भूसा भर दूँगा मगर जैसे-जैसे दिन गुज़रते गए मैं बदलता गया। मैं पहलेवाला मार्क रह ही नहीं गया। बन्दूक़ से गोलियाँ जो पहले बेधड़क निकलती थीं, वे ख़ामोश हो गईं। मुझे लगता है कि मेरी बात को तुम गहराई से समझ सकती हो क्योंकि यह तुम्हारी सोच का हिस्सा है! शहरज़ाद जैसी क़िस्सागो लड़की किस तरह से ज़ालिम बादशाह का किरदार बदल डालती है। ठीक उसी शहरयार की तरह मैं हर दिन हर दुर्घटना से कुछ सीखता रहा हूँ और तुम्हें एक बेहतरीन हमसफ़र की तरह

देखने-पहचानने लगा हूँ।'

'तुम नहीं जानते कि...'

'मैंने अपनी माँ से सब-कुछ बताया है वह भी चाहती है और...'

'जब तुम्हें पूरी बात नहीं पता तो तुमने बताया क्या होगा? मैं एक नहीं पूरी पाँच लड़कियों की माँ हूँ।'

'उन्हें तुम बहन भी कह सकती थीं।' इतना कह मार्क हँसा।

'मतलब?'

'मैं जानता था। तुम समझती हो कि तुमने खिड़की-दरवाज़े बन्द कर रखे थे तो हमने भी, मुझे तुम्हारी सारी बातों का इल्म है...तुम्हीं क्या हर घर का नक़्शा हमारे सामने है।'

'इसके बावजूद...' लरज़ उठी समीरा।

'मैंने कहा न, मैंने तुम्हारी इसी ईमानदारी से प्यार किया है जो मुझे कहीं नज़र नहीं आई, यहाँ तक कि तुम्हारे इस मुल्क में भी नहीं जहाँ एक नागरिक दूसरे नागरिक की मजबूरियों से फ़ायदा उठा रहे हैं, अगर मैं वह सब बताने पर आ जाऊँ तो तुम्हें उन सबसे नफ़रत हो जाएगी जिनके प्रति तुम्हारे दिल में इज़्ज़त और प्यार है। यह दुनिया खड़ी ज़रूर है मुहब्बत और हमदर्दी पर मगर चल रही है गला-काट प्रतिस्पर्द्धा पर...'

'तुम जब सब जानते थे तो मेरी बड़ी बेटी का हाथ नहीं पकड़ सकते थे, वह मुझसे ज़्यादा हसीन और जवान है, वफ़ादार और समझदार है।' समीरा का दिल एकाएक फट गया।

'उसका हक़ तुम्हारी या मेरी मुहब्बत पर नहीं बल्कि. खुद की चाहत पर होना चाहिए। यह हक़ उससे तुम क्यों छीन रही हो? तुम माँ हो और इतनी बड़ी ज़्यादती?' मार्क ने ताज्जुब भरे लहज़े से कहा और जिन नज़रों से उसने समीरा को ताका उससे वह पानी-पानी हो गई।

मुरव्वत का जो पर्दा था वह गिर चुका था। चीज़ें बहुत साफ़ समीरा को

नज़र आ रही थीं।

'मत भूलो कि तुम्हें एक मर्द की ज़रूरत है।' मार्क ने कुछ इस तरह कहा जैसे वह ज़िन्दगी का दर्शन उसे समझा रहा हो। सच पर से झूठ का मुलम्मा छुड़ा रहा हो।

'वह मर्द कोई और नहीं सिर्फ़ मैं हो सकता हूँ।'

कायनात की हर चीज़ इस जुमले के साथ ठहर गई। उसने भरपूर खुली आँखों से मार्क को देखा। वहाँ कोई धुन्ध, कोई झुटपुटा, कोई घपला नज़र नहीं आया।

शाम ढले जब समीरा घर पहुँची तो पाँचों लड़कियों ने उसका स्वागत इस तरह किया कि गैलरी में खुलनेवाली खिड़की के दोनों पट उसे खुले मिले जिसके आगे एक वार्डरोब उन्होंने लगा दी थी। जिसके चारों तरफ़ से बाहर की रौशनी और हवा छनकर पूरे घर में फैल रही थी।

वह यह देखकर मुस्कुरा दी।

माँ के हाथों में पकड़े थैले को नेदा ने आगे बढ़कर लिया और उसमें झाँका और ख़ुशी से चहकी, 'वाय...वाय!'

'क्या है?' वफ़ा ने थैला पकड़ा।

फ़र्श पर किताबें, अख़बार, केक और सूखे मेवे के पैकेट और फलों के शरबत से भरे कैन थे। साथ थी हरी सब्ज़ियों के पैकेट...

'उम्मी, इतना सब?' सबा चहकी।

लड़कियों के चेहरे पर नाचती ख़ुशी देख समीरा अपने को रोक नहीं पाई और लॉबी में जाकर उसने मीटर की अलमारी खोली और तार जोड़ा। भक से ट्यूब लाइट जल उठी। पाँचों लड़कियाँ हैरत और ख़ुशी से मिनमिनाई...'उम्मी!'

समीरा अपने कमरे की तरफ़ बढ़ी और अन्दर पहुँच उसने दरवाज़ा बन्द

किया। आईने के सामने जाकर उसने अपना चेहरा ग़ौर से देखा ठुड्डी उठा गर्दन को आगे-पीछे से देखा फिर फ़्रॉक़ के बटन खोल उसने दिल की घबराहट को कम किया और घर का चोग़ा उठा उसे पहना। माथे पर आ गई लट को उसने उठाकर क्लिप किया और हलके-से मुस्कुरा पड़ी।

अख़बारों के ज़रिए नए-पुराने हालात अरसे बाद पढ़ने को मिले थे। सब-कुछ भूलकर लड़कियाँ उसमें डूबी रहीं। समीरा अपने को बात करने के लिए तैयार कर रही थी कि वह कैसे यह ख़बर दे और इस ख़बर का जो रद्देअमल होगा, उसे कैसे सहन करके हालात को बेहतरी की तरफ़ मोड़ेगी।

जब खिड़कियाँ बन्द थीं मगर अब खुल गई हैं तो किसी को इस बात से कोई फ़र्क़ नहीं पड़ा। यह हमारे दिल का ख़ौफ़ है जो फूँक-फूँककर क़दम रखने पर मजबूर करता है। समीरा ने जलते बल्ब को देखकर सोचा।

'मैं सोचती हूँ साजदा की शादी कर दूँ।' उसने अँधेरे में तीर फेंका।

'क्या?' एक साथ लड़कियाँ चौंकीं।

'हाँ...'

'किससे?'

'है नज़र में एक लड़का।'

'मगर मुझे नहीं करना शादी अभी, और करूँगी उम्मी, तो अपनी पसन्द से।' साजदा के नथुने फड़क उठे।

'यूँ सारे दिन बेकार...'

'उम्मी, तो मुझे नौकरी दिलवाना चाह रही हो जो मैं जाकर किसी के भी बर्तन धोने लगूँ...नो उम्मी, मेरे साथ ऐसा मत करना।' तेज़ स्वर में साजदा बोली।

'सेम टू मी,' वफ़ा बोली।

‘हमारी पढ़ाई के बारे में क्यों नहीं सोचती हो?’ लैला बिगड़ी।

‘हमारे बारे में छोड़ो नेदा का क्या होगा?’ सबा ने धीमे से कहा।

‘तो फिर मैं शादी कर लूँ? आख़िर यह घर चलेगा कैसे?’ मज़ाक के टोन में समीरा ने कहकर बेटियों की मंशा जानना चाहा।

‘यह हुई न बात!’ साजदा चहकी।

‘मुझे नहीं अच्छा लगेगा।’ नेदा मुँह फुलाकर बोली।

‘उम्मी, पैसेवाले से करना।’ सबा बोली।

‘ऐसा होना चाहिए जो बाप लगे।’ लैला ने गम्भीर स्वर में कहा।

‘और जो वह ग़ैरमुल्की हुआ तो?’ समीरा हँसी।

‘तो सोचना पड़ेगा...कहाँ का?’ सबा बोली।

‘कहाँ का?’ नेदा चटखी।

‘नहीं चलेगा, चाइनीज़ नहीं चलेगा।’ नेदा चीख़ी।

‘चुप-चुप...हर कोई चलेगा जिसे उम्मी प्यार करेगी।’ साजदा ने कहा तो उसकी बात पर सबने ताली बजाई।

‘ठीक है, फिर मैं ही शादी करती हूँ...देशी हो या विदेशी...ठीक है न?’ समीरा मज़ाक के अन्दाज़ में बोली।

‘उम्मी, मैं संजीदा हूँ...’ साजदा ने गम्भीर स्वर में कहा।

‘अरे कहाँ, और कैसा शादी-ब्याह?’ कहती हुई समीरा उठी तो माँ का जवान चेहरा देख लड़कियाँ उदास हो गईं।

समीरा के उठते ही लड़कियाँ अनमनी-सी हो उठीं।

माहौल बोझिल हो उठा।

वहाँ फिर कोई टिका नहीं। इधर-उधर छिटककर सब कामों में लग गए।

काम था भी क्या जो करते? इसलिए थोड़ी देर बाद फिर एक कमरे में जमा होकर बैठ गए।

उधर समीरा के दिल का बोझ आधा उतर चुका था। जो बात कील की तरह उसके दिल में चुभ रही थी वह मार्क का विदेशी होना नहीं बल्कि मल्टीनेशनल आर्मी का एक ऐसा अफ़सर जो कि छोटा होकर भी ख़बरों में छाया रहता था। इंटरव्यू देता, सुरक्षा सँभालता उसे टेलीविज़न पर पूरी दुनिया ने देखा और बग़दादवालों ने उसे सड़क किनारे खड़ा, जीप से गुज़रते इधर- उधर हर दिन हर घंटे देखा है।

यह ख़बर कोई छोटी ख़बर न होगी।

मैं फिर कभी बग़दाद लौटूँगी भी अगर तो अपने मुझे कभी स्वीकार नहीं करेंगे और यह लड़कियाँ...जिन्होंने अपने बाप से इतना प्यार किया है, जिसकी मौत...उन सारे ज़ुल्म और दबाव को वह कैसे भूल पाएँगी?

सब बेकार की बातें मैं सोच रही हूँ...तब नया बग़दाद होगा, नया शासक होगा, मुझे पहचाननेवाला यहाँ कोई बाक़ी बैठा न होगा...

साजदा, वफ़ा और लैला अपने पुराने कपड़े और सैंडिलें फैलाए बैठी थीं जिनको अटैची से और अलमारी के ख़ानों से निकाल-निकालकर सबा और नेदा फ़र्श पर डाल रही थीं।

'या ख़ुदा! मेरी तो कोई सैंडिल मेरे नाप की नहीं रह गई!' साजदा चीख़ी।

'सारे दिन साफ़ करने और सजाने का नतीजा देखा, अब मैं पहनूँगी।' कहते हुए लैला हँसी।

'तेरे पैर पतले हैं ये सब मेरे हैं।' सबा बोली।

'पहनकर देख न।' वफ़ा ने कहते हुए ख़ुद भी एक जोड़ा सैंडिल उठाई मगर वह चौड़े पंजों में न घुसी।

'नंगे पैर फिर-फिरकर हमने अपने पैर भद्दे कर लिये, ऊपर से पैदल

चलने की जगह इस घर में बैठे रहे।' कुछ रुआँसी आवाज़ में साजदा बोली तो लैला हँस पड़ी।

'ये कब की सैंडिलें हैं?'

'तक़रीबन...चार नहीं...छह साल पहले की।' साजदा ने सोचते हुए कहा।

'तुम उम्र में बड़ी भी तो हो, क़द के हिसाब से पैर भी तो बढ़ेगा?' सबा ने बहन को प्यार भरे लहज़े से दिलासा दिया।

'और यह कपड़े...कुछ भी सुन्दर और क़ीमती हमारा नहीं रहा। कल बाहर निकलना हुआ तो हम पहनेंगे क्या?'

'चादर!'

इस जवाब पर पाँचों खिलखिलाकर हँस पड़ीं।

'उम्मी को ये सारे कपड़े और सैंडिलें बेचकर हमारे लिए कुछ सस्ते मगर अच्छे कपड़े, जो आज के लेटेस्ट डिज़ाइनवाले हों, लेना चाहिए।' वफ़ा ने कहा।

'शायद हाँ...' अनमनी-सी साजदा बोली और कमरे में पड़ी बेंच पर जाकर लेट गई।

बाज़ार से आता शोर मद्धिम पड़ गया था। मोटरों के हॉर्न भी सुनाई पड़ रहे थे।

'उम्मी ने शादी कर ली तो हमारे लिए कितना अच्छा होगा! हमारी चिन्ता उनको लेकर कम होगी और हम आज़ाद होंगे अपनी तरह के कैरियर बनाने के लिए...' साजदा ने लम्बी गहरी साँस छोड़ी।

'जाग रही हो?' वफ़ा ने धीमे से पूछा जो दूसरी तरफ़ पड़े डबलबेड पर लेटी थी।

'हाँ...' साजदा की घुटी-घुटी-सी आवाज़ निकली।

'उम्मी...शादी करेगी?' वफ़ा की आवाज़ में बेचैनी थी।

'जो क़ायदा है विधवा के दूसरे विवाह का उसे पूरा तो करना चाहिए।' साजदा ने मरी-मरी आवाज़ में कहा।

'तुम इस तरह क्यों बोल रही हो...तबीयत ठीक है?'

'हाँ, अपने सबके मुस्तक़बिल के बारे में सोचकर उदास हो जाती हूँ। पढ़ाई इस तरह छूटी कि हम बिछड़ ही गए।' साजदा का गला रुँध-सा गया। वफ़ा की तरफ़ से कोई जवाब नहीं आया।

सन्नाटा बढ़ गया था। रात के अँधेरे में उन्हें किसी के क़दमों की आवाज़ सुनाई पड़ी जैसे भारी जूतों के साथ कोई घर की सीढ़ी चढ़ा हो।

ऐसी प्रतिध्वनियाँ उन्हें अपने ही दिमाग़ का ख़लल महसूस होती हैं इसलिए दोनों ने उस तरफ़ कोई ध्यान नहीं दिया।

सोते में नेदा के रोने की मद्धिम आवाज़ उभरी। साथ ही किसी के थपकने की आवाज़ भी, शायद सबा थी।

'तुम लोग क्या सारी रात जागोगी...? सोने नहीं देतीं, कभी कोई बोलता है...तो कोई रोता है।' झुंझलाई-सी आवाज़ में लैला बोली।

'ओ हो!'

'और नहीं तो क्या, इतना प्यारा सपना देख रही थी!' लैला के लहज़े में दुख था।

'अभी सुनाओगी या सुबह?'

'अभी सोने दो...पूरा करूँगी तब सुनाऊँगी।'

उसके इस जवाब पर दबी-दबी हँसी कमरे में बिखरी।

साँसों के मद्धिम सरगम के बीच कौन सोया कौन जागता रहा रात के अँधेरे ने इसको राज़ में ही रखा।

मार्क के सामने एक बड़ी समस्या थी कि वह अपनी नई फ़ैमिली को किस

तरह इस जंगज़दा शहर से बाहर निकाल अपने देश जानेवाले जहाज़ पर चढ़ा दे। उसकी ड्यूटी की मियाद पूरी होनेवाली थी। यह काम वह उसी दौर में अंजाम देना चाहता था जब कुछ फ़ैसलों की ज़िम्मेदारी उसके हाथ में हो।

जल्द-से-जल्द वह शादी करना चाहता था ताकि पासपोर्ट बन सके और वह इन सबको इकट्ठा न सही तो टुकड़े-टुकड़ों में माँ के पास पहुँचा दे। हादसे तो रोज़ होते हैं। बम का फटना अब बमबारी के बाद ज़्यादा बढ़ गया है, जबकि बड़े पैमाने पर हथियार समर्पण कराया गया था। सुरक्षा के नाम पर जगह-जगह आरम्भ में कड़ा पहरा लगा मगर नई सरकार भी हथियार की नई खेप के आने पर कुछ न कर पाई। उसे उन मुक़दमों का भी इल्म था जो जंग के दौरान चन्द सिपाही अपने ही साथी महिलाओं से सम्बन्ध बना उन्हें गर्भवती बना चुके थे। या फिर बीच जंग में आगे लड़ने से मना कर चुके थे। उनके ट्रायल चल रहे थे। उसे इन झंझटों में फँसने का कोई अरमान न था। वह ज़िन्दगी को इतने कोणों से मौत की शक्ल में बग़दाद जैसे हसीन शहर में देख चुका था कि उसे कभी-कभी अपने वजूद से नफ़रत होने लगती थी। किसी एक चेहरे का नक़ाब नहीं हटा था बल्कि हर उस आदमी का चेहरा नंगा हुआ था जो कहीं का भी हुक्मराँ हो।

'यहाँ शादी करना जितना आसान होगा, ख़बर दबाना उतना ही मुश्किल, इसलिए ग़लत मत समझना, लड़कियों के पासपोर्ट अगर बने हैं तो ठीक, वरना उन्हें बार्डर पार कराकर सुरक्षित स्थान पर रखना होगा ताकि शादी के दूसरे ही दिन हम यहाँ से निकल सकें और एक साथ या तो सीरिया या फिर लेबनान से उड़ान भर सकते हैं।'

मार्क ने जब सारी बात संक्षिप्त शब्दों में समीरा को बताई तो उसका गला ख़ुशी और दुख के जज़्बात से रुँध गया। वह जवाब न दे सकी सिर्फ़ अक़ीदत भरी नज़रों से उसने उस गोरे को ताका जो आक्रमणकारी बनकर उसके मुल्क में दाख़िल हुआ था।

अजीब है यह प्यार का जज़्बा, जाने कैसे-कैसे हालात में करिश्मा कर बैठता हूँ, और सोते की तरह फूट पड़ता है। उसने लरज़ते हुए होंठों को

दाँतों तले दबाकर सोचा।

'तुम लड़कियों से मिलना चाहोगे?' समीरा ने शर्मीली निगाहें उठा सकुचाते हुए पूछा।

'क्यों नहीं, ज़रूर मिलूँगा, ताकि वह मुझे थोड़ा-बहुत जान सकें और मैं उन्हें...' इतना कह मार्क ने अपने सुनहरे बालों वाले सिर पर हाथ फेरा।

समीरा को लगा, काश! उसके बाल इतने बड़े होते जो उसके माथे पर लट की तरह घिर आते और वह उन्हें गर्दन की जुम्बिश से पीछे हटाता।

'बेटियों को किताबें पसन्द आईं?'

'हाँ! '

'चलो तुम अब...ध्यान से रास्ता पार करना।'

उसका दिल मार्क के पास आकर फिर वहाँ से लौटकर जाना नहीं चाह रहा था मगर...बेटियाँ, जिनके बिना वह साँस भी नहीं ले सकती है।

वह छोटे-छोटे क़दम रखती आगे बढ़ी। यह रास्ता उसे पैदल ही पार करना था। उसके हाथों में भारी बैग थे। सूरज अपने पूरे तेवर के साथ चमक रहा था। उसका सारा शरीर पसीने से तर था। आगे मोड़ पर जाकर किसी ड्यूटी कान्सटेबिल ने उसे रोका मगर दूसरे ही लम्हे 'यस सर...' इतना कह उसे जाने को कहा।

इसका मतलब है वह मार्क की पूरी निगरानी में है। यह सोच उसे अच्छा लगा।

दस

लड़कियाँ उस पीले अँधेरे कमरे में लू के रेतीले थपेड़े सुनती हुई ख़ामोश बैठी थीं। उन्हें इतनी शदीद गर्मी सीले उमस भरे कमरे में लग नहीं रही थी जितनी वह महसूस कर रही थीं। उनके सामने पहले का देखा गर्मी का मौसम बार-बार किसी फ़िल्म की रील की तरह गुज़र रहा था।

उन्हें अपना घर ठंडा, साफ़ और हवादार याद आ रहा था। अबु याद आ रहे थे जो कभी चॉकलेट तो कभी मीठे फलों के शरबत उनके लिए लाते और उन्हें घुमाने ले जाते। नेदा को तो बाप की ऐसी कोई याद परेशान न करती क्योंकि उसने जब से आँखें खोली थीं अलबनाही को बीमार देखा था। अलबनाही का गला बहुत सुरीला था। उसने उनका गाया कोई गीत कभी नहीं सुना था। बहनों से सुन-सुनकर बहुत-सी मालूमात उसे मिल ज़रूर गई थी मगर उनमें पिता के लिए संवेदना के तार उलझे न होते जो बहनों के दिल को झंकृत करते थे। एकाएक उन्हें किसी की पदचाप सुनाई पड़ी, फिर सीढ़ी चढ़ने की आवाज़...यह माँ के ही क़दम हैं। पाँच सीढ़ियों के बाद ताला खोलने की आवाज़ उभरी।

पाँचों अपनी जगह से उठीं और दरवाज़े की तरफ़ बढ़ीं। माँ के दोनों हाथों में थैले थे जो उन्होंने ज़मीन पर रखे और फुर्ती से सिर की चादर उतारकर वह अपने कमरे की तरफ़ बढ़ी। माँ के रखे थैलों की तरफ़ वे गईं और तेज़ी से सामान निकालने लगीं।

'उम्मी के पास...' हैरत से लैला कुछ कहते-कहते रुक गई।

'सोने की चेन बहुत भारी थी।' सबा ने अन्दाज़ा लगाया।

'पता नहीं...' लैला अपनी बात अधूरी छोड़कर उठ खड़ी हुई।

'उम्मी, कुछ पियोगी?' उसने माँ के कमरे की तरफ़ बढ़ते हुए पूछा।

'नहीं...अभी नहीं।'

सामान के रखने, उठाने के साथ लड़कियों के अधूरे जुमले और ख़ुशी भरी आवाज़ें सुनकर समीरा को महसूस हुआ कि उन्हें मार्क के बारे में बता देना सही होगा बल्कि उसे एक नज़र दिखा देना भी...

वह महीन-सा साया पहन बाहर निकली। गर्मी के मारे उसका बुरा हाल था।

'उम्मी, इतना महँगा सामान...इतने पैसे...?'

'तोहफ़े हैं तुम्हारे लिए!'

'किसकी तरफ़ से?'

'मार्क!'

'मार्क कौन...अबु का कोई दोस्त?'

'नहीं, मेरा एक जान-पहचानवाला...' इतना कह समीरा जिस अन्दाज़ से मुस्कुराई उसने सारी बात खोलकर रख दी।

'मुबारक हो उम्मी...' साजदा ने कुछ आश्चर्य मिली ख़ुशी से कहा।

'हमसे मिलवाओ न...कैसा है?' लैला ने पूछा।

'तुमने क्यों लीं उससे यह चीज़ें?' सबा के मुँह से निकला।

'मुझे नहीं चाहिए।' नेदा ने ग़ुस्से में केक का पैकेट पटका।

'उम्मी से ऐसा बर्ताव करने का तुम्हें हक़ नहीं है।' वफ़ा के तेवर खिंच गए थे।

‘मत भूलो कि हम आज उन्हीं की वजह से साँस ले पा रहे हैं। वरना... माफ़ी माँगो।’ साजदा ने सख़्त लहज़े में कहा।

‘सॉरी उम्मी...!’ लैला तेज़ी से माँ की तरफ़ बढ़ी और समीरा के गालों का चुम्बन ले उसके गले में बाँहें डाल दीं। वी आल लव यू वेरी मच माम।’

‘जानती हूँ।’ सीने से लिपटाकर समीरा ने लरज़ते होंठों से कहा। उसे बुरा लगा या नहीं मगर इतनी समझ तो वह रखती थी कि ईर्ष्या का यह अन्दाज़ भी उतना ही बड़ा सच है।

‘माम...’ साजदा ने माँ को दुलार भरी नज़रों से देखा।

‘जाने माम...’ समीरा ने बेटी का जवाब दिल की गहराइयों से दिया। अभी तो यह आनेवाले तूफ़ान की सूचना भर है। असली धमाका नफ़रत और आक्रोश से भरा हुआ उस दिन होगा जब उन्हें पता चलेगा कि...

‘बग़दादी है उम्मी?’ लैला बोली।

‘फिलहाल बग़दाद में है।’ समीरा ने हँसकर कहा। उसकी हँसी ने फैला तनाव लगभग ख़त्म कर दिया।

लड़कियों ने फिर कोई सवाल नहीं किए। शायद यह सोचा हो कि वह इराक़ी क्रिश्चियन हो या अरब के किसी अन्य देश का, इसलिए नाम सुनकर कोई नहीं चौंका।

समीरा को अपना वजूद झील में पड़े पत्ते की तरह लरज़ता महसूस हो रहा था। उसने अन्दर बढ़ती घुटन को गहरी-गहरी साँस लेकर बाहर फेंकना चाहा। और ख़ुद को तसल्ली दी।

जिस्मफ़रोशी से मुझे हालात ने महफूज़ रखा वरना वह भी मुझे करना पड़ता...हालात अच्छाई और बुराई के मायने कैसे बदलकर रख देते हैं...पेट भरे लोगों के लिए उँगली उठाना कितना आसान होता है मगर भूखे के लिए रोटी हर फ़लसफ़े से बढ़कर अहम हो उठती है।

नीली क़शीदाकारी, गचबरी और शीशेकारी से सजी गुम्बदें और मीनारें आसमान के नीचे बरसों से खड़ी हैं, आस्था का सम्बल बन लेकिन सभ्यता

एवं संस्कृति की इस नगरी पर गिरते कलस्टर बमों को वायुमंडल में रोककर कोई चमत्कार न दिखा सकीं।

सूफ़ी नृत्य की प्रतिध्वनियों ने दिलों से द्वेष न धोए और बग़दाद, बाग़ों का शहर बारूद के अम्बार में ढल गया।

हमारी निष्ठा की पताका...हमारे ही लोगों की ग़द्दारी से तार-तार हो गई। इस सबके बावजूद लोग जी रहे हैं, जीने पर मजबूर हैं। हराम और हलाल की बन्दिशों को तोड़कर जीना चाहते हैं।

समीरा ने सारी ज़हनी बहस और दिल की कुढ़न के बावजूद क़दम आगे बढ़ाने की ठान ली थी।

उसे न मुड़कर पीछे देखना था न पीछे लौटना था।

दोपहर को जब धूप ख़ासी तेज़ थी, समीरा जानबूझकर बच्चियों को लेकर घर से बाहर निकली। सड़कें व गलियाँ ख़ाली थीं।

पाँचों चादरों में लिपटी थीं। उनके चेहरे भी छुपे हुए थे। यह तो कहो इस घर के दाएँ-बाएँ घरों के लोग आक्रमण के पहले ही किसी तरह देश से निकल भागने में कामयाब हो गए थे वरना पड़ोसियों की दख़लन्दाज़ी से कौन बचा है आज तक जो समीरा जैसी ज़माने की मार खाई औरत इतना बड़ा राज़ छुपाकर बड़ी आसानी से लड़कियों को जहान की नज़रों से छुपाकर यूँ न रख पाती। उसे अच्छी तरह याद है जब वह कर्फ़्यू लगने के बावजूद रेडक्रॉस की एक दुकान से दूसरी दुकान पर भाग रही थी तब दनदनाती जीप ने आकर उसका रास्ता रोका था।

'औरत, तुम्हें क्या चाहिए...घर लौटो...कर्फ़्यू शुरू हुए आधा घंटा गुज़र गया है।' वह बिना जवाब दिए उन्हें ताकती रही थी।

'गूँगी है।'

'उड़ा दो।'

'रुको,' एक कसरती बदन का फ़ौजी नीचे उतरा था। उसने ग़ौर से समीरा की लाल डोरेवाली आँखों और चेहरे पर आँसुओं के धब्बे देखे थे। होंठों पर पपड़ी। शायद गले की ख़ुश्की ने बात करने की ताक़त छीन ली थी। माथे और होंठों के ऊपर अलबत्ता पसीने की बूँदें ओस की तरह उभर आई थीं।

'बैठो।' उसने अजीब तरह से गर्दन हिलाकर उसे हुक्म दिया था। उसने गर्दन हिलाकर इनकार किया था।

'जेल में डाल दूँगा तब?' उसने ज़हरीली मुस्कान के साथ कहा था। अभी वह पूरी बात कह भी नहीं पाया था कि किसी बाज़ की तरह झपटकर उस औरत ने उस आर्मी अफ़सर की कमर पर लगी पिस्टल निकालने की कोशिश की तो अफ़सर हँस पड़ा, 'मैड वोमन!'

'तुम लोग अपने को समझते क्या हो? हमारी सड़क पर हमारे ही चलने पर रोक लगाओगे!' साफ़-सुथरी अंग्रेज़ी में क्रोध से अदा किया गया वह जुम्ला सभी को हिला गया। कुछ लम्हे ख़ामोशी में गुज़रे। जवान मर्द की आँखों में नाचती घृणा और व्यंग्य के भाव नर्म पड़े, उसकी जगह जिज्ञासा ने ले ली।

'ठीक है, गो आन,' इतना कहकर उचककर जीप पर बैठ गया।

उस औरत ने बड़े ख़ास तेवर से उन्हें मुड़ते देखा और घर की तरफ़ बढ़ी। वह नहीं चाहती थी कि उसके घर का अता-पता भी इनके हाथ लगे वरना ख़ाली वक़्त ख़ैरियत लेने के बहाने यह पहुँचने लगेंगे। मगर उसे यह नहीं पता था कि ये उस क़ौम के सिपाही हैं जो बरसों दुनिया पर राज कर चुके हैं, उनकी नज़रें बाज़ से कहीं ज़्यादा तेज़ होती हैं अपने शिकार को ताड़ने में।

उसके पीछे जीप चलती रही इतनी दूरी पर कि उसे गुमान भी नहीं हुआ कि उसका पीछा किया जा रहा था। सड़कें सुनसान थीं और गलियाँ अँधेरी, उसकी पदचाप को सुनकर अपने घर की खिड़कियों से झाँकते मर्द खँखार रहे थे। खुली खिड़की या भिड़े दरवाज़े की झिर्रियों की तरफ़ देखे बिना

वह तेज़ी से क़दम उठा रही थी। जब वह दरवाज़ा खोलकर अन्दर दाख़िल हुई और तेज़ी से धड़कते दिल को उसने सँभालने के लिए दरवाज़े पर माथा टिकाया तो उसे लगा जैसे टायरों की मद्धिम गति ने हवा को पीछे धकेला हो, उसने हड़बड़ाकर दरवाज़ा धीरे से खोलकर बाहर ताका तो जीप को ठीक घर के सामनेवाली चौड़ी सड़क पर रेंगते पाया।

होंठ को ग़ुस्से में चबाकर वह बोली थी, 'नामर्द।'

समीरा राह चलते-चलते एकाएक मुस्कुरा दी। उसी नामर्द मार्क को एक नज़र बेटियों को दिखाना चाहती है, जिससे उसे नफ़रत थी, सख़्त नफ़रत। शौहर और बच्चों का ख़्याल न होता तो इनमें से कई सिपाही मार गिराती।

बाज़ार में चमचमाती दुकानें देखती लड़कियाँ कुछ बौखलाईं और परेशान-सी आगे बढ़ रही थीं। उन्हें पूरी दुनिया बदली लग रही थी। हर चीज़ महँगी इतनी कि उसे ख़रीदते हुए डर लग रहा था। माँ से कहते शर्म लग रही थी। समीरा उनके दिल की कैफ़ियत समझ रही थी। नेदा को तो जैसे चुप्पी-सी लग गई थी। एकाएक ऐलान हुआ-बड़ी मस्जिद के पास टैक्सी में बम फटने से उधर कर्फ़्यू लग चुका है।

समीरा या किसी के लिए अब यह नई ख़बर न थी तो भी सब घर लौटने की जल्दी में काम ख़त्म करने की तेज़ी में एकाएक फुर्ती में आ गए। कपड़े ख़रीद, थैले पकड़े जब वह चौड़ी सड़क पर आईं तो सामने से कई फ़ौजी जीपें गुज़रीं उसमें से एक में मार्क था।

'वह देखो...वह रहा मार्क...' जाने किस जज़्बे से एकाएक उत्साहित-सी समीरा हाथ उठा आख़िरी जीप की तरफ़ इशारा कर रही थी।

लड़कियों को कुछ समझ में नहीं आया। जीप फर्र से निकल गई, मगर उनके ज़हन में अभी भी कपड़ों और सैंडिलों की दुकानें थीं। नए और पुराने दिनों की परछाइयाँ थीं।

शाम ढले वे घर पहुँचीं। ख़ुशी और उत्साह से भरी हुई। अपने-अपने कपड़े पहनकर देख रही थीं। सैंडिलें पहनकर नंगे फ़र्श पर उनकी एड़ियाँ बजाकर खिलखिला रही थीं।

काश! यह वक़्त यहीं ठहर जाता। थैले से खाने का सामान निकालते हुए समीरा ने दिल की गहराइयों से दुआ माँगी।

तभी फ़ोन घनघना उठा। समीरा चौंक पड़ी। हैरत और डर से उसने बजते टेलीफ़ोन की तरफ़ देखा। कुछ अनर्थ होने की कल्पना से काँपती हुई आगे बढ़ी और चोंगा उसने उठाया।

'आलो?'

'समीरा...तुम ख़ैरियत से पहुँच गईं?' उधर से मार्क की आवाज़ सुनाई पड़ी तो उसने राहत की साँस लेकर कहा, 'हाँ,' और दूसरे लम्हे पूछ बैठी, 'फ़ोन नम्बर तो मैंने तुम्हें नहीं दिया था फिर?'

मार्क हँसा और फ़ोन रख दिया।

समीरा उसकी हँसी के टोन को समझ झेंप गई और चोंगा रखकर वापस लौटी।

'किसका फ़ोन था, नानी का?' लैला ने पूछा।

'लेकिन फ़ोन अपने-आप ठीक कैसे हुआ?' साजदा ने हैरत से पूछा।

'मार्क का...मार्क का, हमारी ख़ैरियत पूछ रहा था।'

'कौन मार्क...कौन मार्क?' चौंककर साजदा पूछ बैठी। उसके ज़हन से उस दिन का बताया नाम धुँधला पड़ गया था और आज का रजिस्टर नहीं हो रहा था।

'वही...जिसे मैंने तुम्हें दिखाया था।' बड़ी दिलकश मुस्कान के साथ समीरा झिझकते लहज़े में बोली।

'वह अंग्रेज़ मिलिटरी मैन...कैसे यक़ीन करूँ?' साजदा ने हाथ में पकड़ी फ्रॉक को फेंकते हुए ताज्जुब से पूछा।

'यह तुमने क्या कर डाला उम्मी?' रुआँसी-सी लैला कह उठी।

'हमारी माँ पेट्रोल बन गई...और हम लड़ाई हार गए।' सबा की फटी आँखें

माँ के चेहरे पर जमी थीं।

'मैं नहीं मानती...यह झूठ है...कह दो उम्मी!...या उम्मी!' साजदा ने माँ को झिंझोड़ा।

'यह सच है...उतना ही बड़ा सच कि बग़दाद हमारे हाथों से चला गया और हमारा हाकिम...' समीरा ने धीरे से कहा। बाक़ी बातें उसके हलक़ में अटककर रह गईं।

'तो हम ग़ुलाम हैं...यह ताज तुमने सिर पर रखकर हमको क्यों जीते जी मार डाला?' सबा ने अपने चेहरे पर दोहत्थड़ मारा।

'मैं तुम्हारी गुनाहगार हो सकती हूँ मगर पूरी बात सुनोगी, उससे मिलोगी तो तुम्हारा नज़रिया बदल जाएगा...' समीरा ने ठहरे लहज़े से कहा।

'बस उम्मी बस! तुम जिसे मुहब्बत समझ रही हो शायद वह वक़्त का सबसे बड़ा समझौता हो! क्या पता?' सबा ने माँ को खूँखार आँखों से घूरते हुए कहा फिर नफ़रत से फुंकारी, 'उम्मी, वह कितना ही बड़ा फरिश्ता क्यों न हो...मगर हम एक हमलावर को अपने अबु की जगह नहीं देंगे...कभी नहीं...आई हेट यू उम्मी...आई हेट यू...' सबा लैला के कन्धे पर सिर रख फफक पड़ी।

कमरे में एक ही प्रतिध्वनि समीरा को गूँजती लगी...'आई हेट यू उम्मी... आई हेट यू...'

लड़कियों के आँसुओं ने बाप का धुंधला पड़ा चेहरा धो डाला था जो अब एक वतनपरस्त ईमानदार, जाँबाज़ इन्सान की तरह चमक उठा था, जो अपने उसूलों के लिए कुछ भी क़ुर्बान कर देने का जज़्बा रखता था और माँ का चमकता चेहरा ख़ुदगर्ज़, वतनफ़रोश और हालात के आगे घुटने टेकनेवाली एक बुज़दिल औरत का चेहरा लग रहा था। जो अपनी औलाद के चलते किसी भी तरह का समझौता कर सकती है।

लड़कियों के जज़्बात का खदबदाता ज्वालामुखी समीरा का रोम-रोम झुलसाए दे रहा था। उसे ऐसे तूफ़ान की उम्मीद थी मगर इस तरह के लावे

की नहीं जो हज़ार धाराओं में बँट आग का दरिया बन उसे हर तरह डुबोने पर आमादा था।

'हम अगर दुनिया का चेहरा बिगाड़ सकते हैं तो उसे सँवारने का जोखिम भी उठा सकते हैं। आओ...मेरे साथ चलो तो, अकेले कोई कुछ नहीं कर पाएगा।' मार्क की आवाज़ का नग़मा उसकी दम तोड़ती साँसों को धीरे-धीरे जोड़ने लगा।

उसे मरना नहीं है।

उसे पाँचों को ज़िन्दगी देना है।

मुझे अभी बहुत-कुछ करना है...बहुत-कुछ करना है।

घर पर छाए तनाव का आज तीसरा दिन था।

किसी ने किसी से बात नहीं की थी।

समीरा ने फिर किसी के सामने न सफ़ाई दी न ही ज़िन्दगी का फ़ल्सफ़ा दोहराया। वैसे भी हालात ख़ुद अपना दर्शन गढ़ते हैं, उन पर पुराना अनुभव लादा नहीं जा सकता है। लड़कियाँ समझदार हैं। अच्छे और बुरे दिन की साक्षी, उन्हें भी अपना फ़ैसला लेने की आज़ादी है आख़िर उन्होंने जब से आँख खोली हैं अपने को मोर्चे पर ही डटा पाया है।

अतीत को किताबों में और वर्तमान को झेलकर उनके ज़हन भी किसी एक दुनिया का ख़्वाब तो ज़रूर देख रहे होंगे। भविष्य की तरफ़ जानेवाली पगडंडियाँ भी उन्हें नज़र आती होंगी, बात सिर्फ़ पसन्द की नहीं मौक़ा मिलने की भी है।

जिन बड़ी-बड़ी बातों को बोलते-बोलते लोग चले गए, वह मौजूदा हालात के आगे कितने हलके और बेमानी बनकर रह गए हैं। उन हथियारों से यह लड़ाई जीती नहीं जा सकती है।

यह नातजुर्बाकार कमसिन लड़कियाँ जहाँ अटककर ज़हनी इज़हार कर रही हैं वह ज़िन्दगी तकलीफ़ों के आगे बेकार हैं क्योंकि जो पार्टी के प्रति समर्पित था, विचारधारा पर अडिग था, उसका साथ आख़िरी वक़्त तक पूरे

ख़ानदान ने ईमानदारी से निभाया था मगर उसके बाद तो हमारी निष्ठा किसी के प्रति नहीं रह गई थी, केवल देशप्रेम का जज़्बा था जो आज भी है। मगर हालात ने हमको वहाँ पटका है जहाँ सिर्फ़ मौत ही हमें आसानी से मिल सकती है। बेरहम मौत!

समीरा ने करवट बदली और बिस्तर से उठकर बड़े हाल की तरफ़ बढ़ी ताकि देख सके लड़कियाँ कुछ खाने के मूड में हैं या अभी भी अपमान उन्हें अंगारों पर लोटने पर मजबूर किए हुए है।

अँधेरे में सुबकियों की आवाज़ उभर रही थी।

वह उलटे पैर लौटने को हुई तभी उसके कानों में साजदा की भर्राई हुई आवाज़ आई :

'शायद...उम्मी ठीक है...मोहब्बत तो हो जाती है, की नहीं जाती... हमें उनके साथ ऐसा बर्ताव नहीं करना चाहिए था।'

इसके बाद चन्द पल ख़ामोशी छाई रही। किसी की कोई आवाज़ नहीं उभरी तो समीरा वहीं बीच रास्ते में दो ज़ानू होकर बैठ गई, अपने कमरे में लौटकर भी क्या करती?

'शायद क्या यक़ीनन हमारा बर्ताव समझदारी भरा नहीं था' लैला ने नाक सुड़कते हुए कहा।

'वह आदमी ज़रूर अच्छा आदमी है वरना...ज़बर्दस्ती वह माँ का अपमान और हमारा शोषण करता जैसा कि हमने कितनी बार सुना है।' साजदा ने खुली आवाज़ से कहा।

'हाँ, उम्मी को शादी के लिए हमीं ने उकसाया था। हमीं उनके ख़िलाफ़ उठ खड़े हुए। यह हमारी ख़ुदग़र्ज़ी है। उम्मी को पूरा हक़ है इज़्ज़त से जीने का।' वफ़ा बोली।

'उम्मी ने उसमें ज़रूर कुछ ख़ास देखा होगा।' साजदा बोली।

'हीरोपन, अंग्रेज़ी मूवी का कोई एक्टर।' सबा के लहज़े में कटाक्ष था।

‘उम्मी उस उम्र से निकल आई हैं।’ वफ़ा ने उदास हँसी के साथ कहा।

‘हमें उम्मी से माफ़ी माँगनी चाहिए।’ नेदा ने पहली बार बोलकर अपना फ़ैसला सुनाया।

‘वाकई शर्मिन्दा हो तो जाओ न, देर क्यों?’ सबा के लहज़े में अभी भी ग़ुस्सा झलक रहा था।

इसके बाद कोई कुछ नहीं बोला। समीरा के चेहरे पर इतमीनान-सा उभरा, वह धीरे से उठी और अपने कमरे की तरफ़ लौटी।

ग्यारह

सुबह का सूरज अभी निकला नहीं था मगर पौ फट चुकी थी।

समीरा के कानों में मीठे गीत की लय ने पहुँच अचानक उसकी नींद तोड़ी। नींद के ख़ुमार से बन्द आँखें उसने बड़ी मुश्किल से खोलीं।

उसे लगा जैसे कमरे के बाहर दरवाज़े के ठीक पीछे से मीठा राग उभर रहा है। उसे आवाज़ और बोल जाने-पहचाने-से लगे। वह चेहरे पर हथेलियाँ फेरती उठी।

दरवाज़ा खोला तो दंग रह गई। पाँचों लड़कियाँ आँखें बन्द कर अपनी सुरीली आवाज़ में गा रही थीं–

हम ऐसी औरत की औलादें हैं

जिसका हाथी दाँत से बना चेहरा

शताब्दियों पहले नमरूद के खँडहरों की

खुदाई में मिला था

जो हमारी तारीख़ भी है और हाल भी

जो हमारी माँ है और हममें साँस लेती है

गाने के बोल शाख़ से गिरे फूलों की तरह समीरा के दिल पर टपक रहे थे।

उसने अपनी दोनों बाँहें फैला दीं और पाँचों को अपनी बाँहों में भरकर कभी वह उनके सिर पर अपना गाल टिका रही थी तो कभी उनका माथा चूम रही थी। कभी उनके अन्दर से महकती

ख़ुशबू को गहरी साँसें ले अपने मुरझाए वजूद को ताज़गी से भर रही थीं।

अरसे बाद घर में खाना पका था वह भी एक साथ तीन चीज़ें खाने के लिए माँ ने पकाई थीं–सालन, चावल, स्वीट डिश। मोहल्ले में नए खुले तन्दूर की गर्म-गर्म रोटी भी थी जिसकी महक सारे घर में फैल चुकी थी।

भूख का मज़ा जिसने चखा हो वह उसकी जलन को समझ सकता है कि ख़ाली आँतें दर्द से कैसे ऐंठती हैं। यह तजुर्बा सिर्फ़ यह ख़ानदान का नहीं बल्कि इराक़ के ज़्यादातर लोग झेल रहे थे। समीरा भुखमरी और चीज़ों से ख़ाली दुकानों के इस दौर में किस तरह महँगाई छूते आसमान में छह भूखे शिकम को भर पाती थी यह सिर्फ़ करिश्मा ही कहा जा सकता था!

बेटियों ने बड़े चाव से खाना खाया। आपस में चुहलें करतीं, हँसी-शरारतें करतीं। हाल में जब एक-दूसरे से सटकर लेटीं-बैठीं अरसे बाद घरेलू सुख के झूलों में झूल रही थीं। वक़्त को मुनासिब जानकर समीरा ने धीरे से कहा, 'हमें यह घर छोड़ना पड़ेगा जल्द ही।'

'क्यों?' एक साथ चौंकीं पाँचों और अचानक इस ख़बर का उन्हें सिर-पैर समझ में नहीं आया।

'चचा ने बेच दिया है।' समीरा ने बड़े इतमीनान से कहा।

'तो फिर हम जाएँगे कहाँ उम्मी?' वफ़ा ने घबराकर पूछा। उसके माथे पर पसीना छलक आया था।

'क्या नया घर लिया है उन्होंने हमारे लिए?' सबा ने अन्दाज़ा लगाया।

'नहीं,' समीरा ने धीरे से कहा।

'तो...दादा ऐसा कैसे कर सकते हैं उम्मी?' सबा ने माँ का शाना हिला

बेक़रार आवाज़ से पूछा।

समीरा ख़ामोश रही।

'या उम्मे!' साजदा ने माँ को पुकारा जो गहरे सोच की भुलभुलैया में खो गई थी। रिश्तों की बेमुरव्वती का इल्ज़ाम भी वह किसी पर नहीं लगा सकती हैं। सबके रात-दिन अपनी-अपनी तरह से पुले-सरात से कम नहीं गुज़र रहे हैं।

'चचा ने जितना किया वही बहुत है।' उसने धीरे से कहा फिर बोली, 'हमें उनका हमेशा अहसानमन्द रहना है...'

समीरा ने मौज़ू को अपने आख़िरी जुम्ले से ख़त्म तो कर दिया मगर ख़ामोश बैठी लड़कियों के दिमाग़ में उभरता यह सवाल नहीं साफ़ कर पाई कि अब...अब इस जंगज़दा शहर में उन्हें पनाह कहाँ मिलेगी?

आज की रात क़ायदे से उन्हें आरामदेह नींद की आग़ोश में डूब जाना चाहिए था मगर सबकी आँखों से नींद दूर जा चुकी थी।

'इसका मतलब है कि शादी के बाद हमें उम्मी के साथ ही रहना पड़ेगा?' फ़िक्रमन्द-सी आवाज़ में साजदा बोली।

'हमारे साथ एक के बाद एक यह क्या हो रहा है?' वफ़ा ने घुटनों से अपना माथा उठा बहनों को देखा।

'हम एक-दो नहीं, पूरे पाँच हैं...' सबा ने अपनी पलकों को झपकाया और फ़िक्र में डूबी लम्बी आह खींची, 'मार्क अब माँ से शादी नहीं करेगा, हरगिज़ नहीं।'

कमरे में फैले अँधेरे ने घुटी साँसों से मिलकर ऐसी बोझिल फ़िज़ा बनाई कि उन्हें लगा अब उनका दम घुटकर रह जाएगा। एकाएक लैला की आवाज़ उभरी।

'काश! मौत हमें एक बार में मार डालती।'

‘हाँ, उसी तरह उम्मी भी जी लेगी जैसे अबु के बिना हम जी रहे हैं।’

‘काश! ऐसा हो जाए तो उम्मी भी चैन की साँस लेतीं।’ सबा ने कड़वे लहज़े में कहा।

‘ज़िन्दा दरगोर,’ नेदा ने अजीब मासूमियत से कहा मगर कमरा छोड़ने से पहले वह अपनी बड़ी बहन सबा के कूल्हे पर ज़ोर से लात मारना नहीं भूली।

लड़कियों के दिमाग़ में क्या पक रहा था, उनके दिलों में कितनी तरह के ख़ौफ़ के दायरे बन-बिगड़ रहे थे, इसका अन्दाज़ा समीरा को था भी और नहीं भी। क्योंकि वह ख़ुद जिस ख़तरे की राह पर चलने का इरादा ठान चुकी थी, उसमें तरह-तरह के ख़दशे थे। वह सिर्फ़ इश्क़ की दास्ताँ न होकर ख़ून व ख़ाक में लुथड़ी नफ़रत और हिंसा की दर्दनाक कहानी भी साबित हो सकती थी।

धड़कते दिल से उसने सुबह-सुबह मार्क को बेटियों से मिलाने के लिए बुला तो लिया था मगर उसकी जो कैफ़ियत थी उसे वह सिर्फ़ महसूस कर सकती थी।

‘मरहबा!’ पाँचों लड़कियों ने एक साथ शादाब चेहरे और हँसती आवाज़ में कहा।

‘मरहबा!’ मार्क के लहज़े में इतमीनान-ही-इतमीनान था।

‘तुम सबको मैं हमेशा बाप का प्यार दूँगा। जानती हो तुम्हारी ग्रैनी तुम्हें लेने ग्रेट ब्रिटेन तक आ रही हैं। उनके साथ तुम पाँचों वहाँ हमारा इन्तज़ार करोगी और मैं तुम्हारी उम्मी के साथ दूसरे दिन की उड़ान लूँगा। फिर हम अपने घर कनाडा जाएँगे।’ जज़्बाती लहज़े में मार्क ने कहा।

‘शुकरन!’ लड़कियों ने एक साथ उत्साह-भरी आवाज़ में कहा। लम्हा ख़ामोशी से गुज़रा।

एकाएक नेदा ने आगे बढ़कर मार्क की तरफ़ मुसाफ़े के लिए अपना नन्हा-

सा हाथ बढ़ाया, 'हाउ डू यू डू'।

मार्क का सारा बदन झनझना उठा। उसने अपनी भीगी आँखों से नेदा के चेहरे को देखा और हाथ बढ़ाया, 'आयम फाइन...थैंक्स!'

मार्क ने झुककर जब उसका माथा चूमा तो नेदा धीमे से बोली, 'कैन आई किस यू?'

मार्क ने अपना फ़ौजी बदन आधा झुकाया।

'बिलीव मी...आई विल आलवेज़ लुक आफ्टर आल ऑफ यू नाइसली।' मार्क ने नेदा के सिर पर हाथ फेरते हुए इस तरह कहा जैसे कोई शपथ लेता हो। इतना कह वह तेज़ी से समीरा को बाय करता घर के बाहर निकल गया।

शिद्दते जज़्बात से लड़कियाँ आगे बढ़ीं और खुले दरवाज़े से उसे सड़क पार जाता देखती रहीं।

समीरा के इम्तहान की घड़ी टल गई थी या अब शुरू होनेवाली थी, यह तो ख़ुद समीरा भी नहीं जानती थी।

घर में एक अलग तरह की हलचल-सी थी।

समीरा के मना करने के बावजूद वे सब अपनी पुरानी यादों को साथ ले जाना चाहती थीं। इसलिए पूरा हाल कबाड़ख़ाना बन चुका था। जो चीज़ 'यादगार' के नाम पर छाँटतीं थोड़ी देर बाद ख़ुद उसको रद्द कर बैठती थीं।

इस सबसे दूर सबा चुपचाप बैठी थी। उसकी आँखों के सामने अलबनाही का चेहरा था जिनकी कोई तस्वीर पास न थी। सिगरेट-केस, चुरुटों के डिब्बे, रूमाल, टाई...किताबें, सेंट और मफ़लर कुछ भी तो नहीं बचा सब-कुछ उस घर में छूट गया या इस घर में बिक गया था। यहाँ सिर्फ़ बचे यादों के चिथड़े थे। एक अहसास था, ख़ुशबू थी कि अबु यहाँ इस बिस्तर पर लेटे रहते और हाँफते रहते थे।

उसे वह शाम याद आ गई जब अबु को जाना था।

अबु...अबु...हम पुकार रहे थे और वह बड़ी मुश्किल से आँख खोल पा रहे थे। फिर एकाएक उनकी बड़ी-बड़ी आँखें पूरी खुल गईं। चारों तरफ़ नज़र घुमाकर जाने क्या देखा फिर उनके चेहरों पर नज़र जमा दी थी।

'हम कैसे जा सकते हैं यह जगह छोड़कर?' सबा ने अपनी रुलाई रोकी, 'माँ शादी कर रही हैं वह जाएँ।'

मार्क और समीरा का विवाह होना तक़रीबन तय था।

ख़बर फैलने न पाए इसकी कोशिश पूरी थी।

जो भय समीरा और मार्क को था वह व्यावहारिक रूप से उसके आला अफ़सर को भी था कि कहीं रूढ़िवादी सोचवाले आतंकवादी हंगामा न बरपा कर दें और यह प्रचार इराक़ स्थित मल्टीनेशनल आर्मी के लिए बहुत भारी न पड़े। ज़ोर-ज़बर्दस्ती वाली दुर्घटनाएँ घटी थीं, वह दबा दी गई थीं। यह बात मामूली स्तर की नहीं थी। माना कि विवाह जैसी पाक संस्था के अन्दर, इच्छा के साथ यह रस्म अंजाम पानेवाली थी मगर जब घृणा का समन्दर ठाठें मार रहा हो उस वक़्त छोटी-सी तीली भी भयंकर आगज़नी का कारण बन सकती है। ख़ासकर तब जब आर्मी के लौटने की चर्चा चल रही हो और इस आक्रमण के विरोध में दुनिया के अवाम अपना एतराज़ लगातार दर्ज़ कर रहे हों।

दूसरा अहम मसला ख़ुद मार्क था। उसकी जगह कोई और होता तो बात के उछलने की आशंका भी न होती। सभी जानते हैं कि पिछले चन्द वर्षों में सिरफिरे जोशीले मार्क ने जिसका रोम-रोम अरब नफ़रत से सुलगता रहता था, वही मार्क एक दिन बदलकर रह गया। वह अन्धाधुन्ध गोली चलाना भूल गया था। अक्सर वह मानवीय स्तर पर मामले को नज़रअन्दाज़ भी कर देता था, क्योंकि उसके अन्दर का इन्सान उस दिन जाग उठा जब आते-जाते उसकी दोस्ती एक पाँच साल के लावारिस लड़के से हो गई जिसका सारा ख़ानदान बम से उड़ चुका था और पूरा

मोहल्ला उसे पाल–पोस रहा था मगर किसी ख़ारिशज़दा कुत्ते की तरह।

मार्क अपने को उस बच्चे से आइडेंटीफाइ कर चुका था।

मार्क इन शिकायतों पर वापस बुलाया गया था कि उसका जन–सम्पर्क फ़ौजी नियमों का उल्लंघन कर रहा है और ज़बान आ जाने के कारण वह इराक़ियों के साथ ख़ासा घुल–मिल रहा है। वक़्त के आगे बढ़ने और अपने ख़ुद के मुल्क में जवानों के जनाज़े जब पहुँचने लगे तो अवाम में कोहराम–सा मचता। उस कोहराम को दबाने के लिए फ़ौजियों की तनख़्वाहें बढ़ा दी गईं। उनका नैतिक बल बढ़ाने के लिए राष्ट्रपति ने जंगज़दा मुल्क के कई चक्कर लगाए मगर जिन्हें यह युद्ध बेकार लगने लगा वह निन्दा करने से बाज़ नहीं आए।

उसी मार्क की आज फिर से ज़रूरत महसूस हुई एक अलग सन्दर्भ में अब उन्हीं शिकायतों को नज़र में रखकर उसे दोबारा बग़दाद भेजा गया ताकि वह आम आदमी के दिलों में पनपती नफ़रत को कम कर सके और एक दोस्ताना माहौल बना सके। मार्क काफ़ी हद तक कामयाब रहा और उसको पसन्द करनेवालों की तादाद ख़ासी बढ़ गई थी। मगर जो उसका पहला रौद्र रूप देख चुके थे, उनकी याददाश्त में उसका चेहरा अभी भी ताज़ा था। वे प्रतिवादी कई बार मार्क पर आत्मघाती हमले भी कर चुके थे। उन स्थानीय लोगों को भी नुक़सान पहुँचाने की कोशिश करते, जिनकी मदद किसी भी स्तर पर आर्मी द्वारा हुई हो चाहे वह टूटा गैस पानी का कनेक्शन पाइप हो या बीमारी या फिर कोई और मुश्किलें।

सीख़ पर भुनते भेंड़ की तरह बग़दाद की सियासत केवल इराक़ में नहीं बल्कि पूरी दुनिया में बहस का मुद्दा बन चुकी थी तब गिलगामिश की तरह कोई शख़्स अपनी प्रेम कहानी बारूदों से भरी हवाओं पर लिखने की कोशिश कर रहा था।

‘तुमने कभी मेरे बारे में कुछ जानना नहीं चाहा, ऐसा क्यों?’ शिकवा भरे स्वर में मार्क ने पूछा।

‘मैंने ही कहाँ तुम्हें अपने बारे में बताया है, जो तुमने जानना चाहा वही तो

जान पाए!' बड़े दिलरुबा अन्दाज़ से समीरा ने कहा।

मार्क मुस्कुरा पड़ा फिर गुनगुना उठा, 'आयम सिक्सटीन, यू आर सेवेंटीन... तुमने साउंड ऑफ़ म्यूज़िक देखी है?'

'हूँ,' समीरा ने हाँ में सिर हिलाया फिर उसी टोन में गुनगुना उठी।

'आयम थर्टीफ़ाइव एंड यू आर...'

'फोर्टी,' मार्क ने ख़ाली स्थान भर दिया।

दोनों के मिले-जुले क़हक़हे नख़लिस्तान में खड़े पेड़ों के बीच लहरा उठे।

'माँ को फ़िल्म बहुत पसन्द थी। जब मैं होनेवाला था तब उन्होंने पहली बार फ़िल्म देखी थी। उन्हें उसमें डैडी नज़र आते थे। सारे दिन वह इस फ़िल्म के गाने गुनगुनाती थीं। सुना है, मेरे डैडी बड़े हैंडसम थे...ठीक मेरी तरह...मैंने उन्हें तस्वीर में देखा है। उनके बचपन के दोस्त की बेटी से मेरा पहला प्यार हुआ। दो बच्चियाँ हुईं ऐन और एलि और जब हम अपने में डूबे थे तब ट्वीनटावर के साथ मेरी फ़ैमिली उजड़ गई।' इतना कह मार्क रुका।

'अरे!' समीरा सन्न-सी रह गई।

कुछ पल ख़ामोशी में गुज़रे।

'...अपनों की मौत बहुत गहरा दुख देती है।' समीरा सिर्फ़ इतना ही कह पाई, दिल तो चाह रहा था कि ऐन और एलि के बारे में पूछे मगर झिझककर रह गई।

'बेटियाँ, बहुत याद आती हैं तब वे रही होंगी आठ और बारह साल की, अपनी मामा से आफ़िस मिलने गई थीं ताकि शाम को शॉपिंग साथ जाएँ...उस वक़्त ग़म ने जितना गहरा घाव दिया था, उससे कहीं गहरा नफ़रत का बवंडर दिमाग़ में उठा था। दिल व दिमाग़ ने मुझे पीसकर रख दिया था। लम्बी बीमारी के बाद जब उठा तो अपने को बिल्कुल तन्हा पाया।' मार्क की आवाज़ थरथरा रही थी।

मार्क चुप रहा। ख़ामोशी दबीज़ पर्दों में छल्ले की तरह उनके बीच लटक गई। मार्क ने चौंककर समीरा को देखा।

'मेरी कहानी सुन तुम रो रही हो!' समीरा की आँखों से टपकते आँसुओं को मार्क ने अपनी खुली हथेली में सँभाला जो ठुड्डी से बह रहे थे। हथेली में जमा नमकीन बूँदों को उसने अपने होंठों से लगाया फिर जाने किस जज़्बे के तहत उसने समीरा को पूरी शिद्दत से अपने सीने से लिपटाया और किसी बच्चे की तरह फफक पड़ा, 'मैं बहुत तन्हा हूँ।'

पुरसा...एक दूसरे के ग़म को थपकने का यह मासूमाना अन्दाज़ किसी अनजान सोते की तरह फूटा था। हिचकोले खाते जिस्म अपनों को रो रहे थे मगर साथ ही एक-दूसरे के दर्द की आहटों को बड़े क़रीब से महसूस कर रहे थे।

चाँद निकल आया था। फीके नीले रंग का थाल धीरे-धीरे शहद की रंगत में बदलता गया और उनके अन्दर के सियापे का जज़्बाती उबाल धीरे-धीरे अब सुबकियाँ ले रहा था। दोनों की खोई जन्नतें उनके ज़हन में थीं और खोई दुनिया की बाज़गश्त उन्हें अपने इस प्यार में सुनाई पड़ रही थी जो क़ुदरत ने उन्हें बख़्शा था। जिसकी लतर को उन्होंने रेतीली ज़मीन में बोया था।

नख़लिस्तान की मेंड़ों में जमा पानी चाँद की छवि को सीने से चिपका रुपहला हो उठा। अँधेरे गलियारों में जैसे जुगनू चमक उठे हों।

'उठो,' कन्धे पर सिर रखे खोई समीरा को मार्क ने थपथपाया, 'देर हो रही है तुम्हें...बच्चियाँ घर में अकेली होंगी।' मार्क ने कहा तो मगर अपनी जगह से उठा नहीं।

एकाएक दूर कहीं धमाका-सा हुआ तो दोनों चौंके। मार्क उचककर खड़ा हुआ और समीरा का हाथ पकड़ तेज़ी से सड़क की तरफ़ दौड़ा जहाँ आड़ में उसकी गाड़ी खड़ी थी। जिस तेज़ी से मार्क ने गाड़ी स्टार्ट की और उसे पेड़ों के झुरमुट से निकाला वह समीरा के लिए किसी भी हालत में यक़ीन के क़ाबिल न था। उसने पीछे मुड़कर देखा, शेलिंग के अंगारे आसमान से

लगातार नख़लिस्तान के उस पार गिर रहे थे।

बाल-बाल बचे मार्क ने आगे जाकर पेशानी पर उभरी बूँदों को रूमाल से ख़ुश्क किया और समीरा की तरफ़ हँसती आँखों से देख बोल उठा, 'शुक्र, तुम सही सालिम हो।'

आज की रात समीरा और लड़कियों की आख़िरी रात बग़दाद में थी। कई तरह के हौल समीरा के दिल में उठ रहे थे। ज़िन्दगी ने जो नया रास्ता खोला है वह खाई की तरफ़ तो नहीं जाता है? कहीं पाँचों मासूम लड़कियों की ज़िन्दगी वह दाँव पर तो नहीं लगा रही है?

जुआ तो उसे खेलना पड़ेगा क्योंकि इस कुएँ में रहने की मियाद पूरी हो चुकी है।

जुए में हारी तो बग़दाद कहाँ भागा जा रहा है! अपने मुल्क लौटना कौन-सा मुश्किल काम होगा? हारी हुई तो वह पहले से है अगर आख़िरी दाँव वह जीत गई तो? ज़िन्दगी सबकी सुधर जाएगी तब भी बग़दाद कौन-सा दूर हो जाएगा, बल्कि माहौल तब तक बदल जाएगा। इसलिए दिल में बसे सारे सहमे परिन्दों को उड़ा देना ही सही होगा। नई उमंग के लिए दिल के आँगन का दरवाज़ा खोलना ही समझदारी है।

उदासी के सुरमई बादलों को उसने बरसने नहीं दिया और अपनी शादी के लिबास का पैकेट खोला। लड़कियों के कपड़ों का भी लिफ़ाफ़ा उसने निकालकर अलग रख दिया था। रस्मों में ऐसा नया कुछ होना न था। लिबास का रंग और तौर-तरीक़े वही थे। उसने कपड़े इस तरह पलँग पर फैलाए थे कि लड़कियाँ कमरे में दाख़िल होते ही देख लें। उनकी ख़ुशी से भरे चेहरे का अनुमान लगा वह उठी और पुकारा, 'साजदा, लैला, वफ़ा, सबा, नेदा...'

'या उम्मी!' कहती एक के बाद एक लड़कियाँ कमरे में दाख़िल हुईं। जलती मोमबत्ती की रोशनी में उन्होंने नए कपड़े देखे और चहक उठीं। कोई उनकी लेस देख रहा था, कोई उसके रेशम की सरसराहट को महसूस कर रहा था, कोई बदन से लगा अपने को आईने में निहार रहा था! मगर

इन सारी चहक के बीच सबा वहाँ मौजूद नहीं थी।

'सबा!'

'शायद बाथरूम में है।'

'सबा अपना कपड़ा तो आकर देखो कितना ख़ूबसूरत है...' साजदा ने लॉबी में आ आवाज़ दी।

'जवाब क्यों नहीं दे रही है?' कहती हुई समीरा बाहर की तरफ़ बढ़ी और बाथरूम का दरवाज़ा थपथपाया, 'आओ।'

'आती हूँ।'

सबा का जवाब तो आया मगर सबा निकली नहीं। समीरा चन्द सेकंड ठहरी फिर कन्धा उचकाकर वापस कमरे में आ गई। जहाँ नन्ही नेदा सबसे ज़्यादा ख़ुशी में उछल अपने को बार-बार फूलों के ताज के साथ देखकर खिलखिला रही थी।

मार्क का फ़ोन आया था कि वह वक़्त से लेने आ जाएगा।

चन्द घंटे बाक़ी थे सुबह होने में।

लड़कियाँ उत्साहित थीं, उनकी आँखों से नींद उड़ चुकी थी।

समीरा की आँखों के सामने नई ज़िन्दगी का घर था। जहाँ रेशमी जालीदार पर्दे खिड़कियों और दरवाज़ों पर लहरा रहे हैं। वाशिंग मशीन और मिक्सी की आवाज़ गूँज रही है। लड़कियाँ कॉलेज जा चुकी हैं और वह फूलों से भरे बग़ीचे में मार्क की माँ के साथ कॉफ़ी सिप करती हुई मार्क के बचपन के क़िस्से सुन रही है।

समीरा के सुनहरे ख़्वाब की ताबीर में गहरे नीले रंग की मिलावट का अहसास तब जागा जब सबा ने बाथरूम से निकल अपने को स्टोर रूम में बन्द कर लिया।

समीरा ने दाँतों तले होंठ दबाया।

इस घर के चारों कमरों की छत में कोई रॉड या खूँटी नहीं थी। उसने मेन

गेट को छोड़कर सभी दरवाज़े से सिटकनियाँ पहले ही निकाल ली थीं, यहाँ तक कि दोनों बाथरूम से भी ताकि कोई अन्दर से दरवाज़ा न बन्द कर सके मगर स्टोररूम का तो उसे ध्यान ही नहीं आया था।

सबा क्या करनेवाली है?

समीरा ने उँगलियों से कनपटी दबाई। बचपन से लेकर अब तक की सबा की शरारतें, बातें और बग़ावतें याद आ गईं।

'खोलो, सबा खोलो दरवाज़ा!'

'तुम सब जाओ उम्मी! मैं यह घर छोड़कर कहीं जानेवाली नहीं हूँ।' सबा की ठोस फ़ैसलाकुन आवाज़ उभरी।

'हम सब तैयार हैं, तुम अकेले यहाँ कैसे रह सकोगी हमारे बिना?' ताज्जुब से लैला चीख़ी।

'तुम लोग जहाँ जाना चाहो जाओ, उम्मी जिसके साथ ज़िन्दगी गुज़ारना चाहे गुज़ार सकती हैं मगर मैं यह घर यह बग़दाद छोड़कर कहीं नहीं जाऊँगी! कभी नहीं जाऊँगी।' सबा का हठीला स्वर उभरा।

'यूँ ज़िद मत करो जाने उम्मी।' समीरा दोनों हथेलियाँ एक-दूसरे से बाँध सीने पर रख इस तरह घुटनों के बल दो ज़ानू ज़मीन पर बैठी जैसे सबा के आगे समर्पण कर रही हो।

'या उम्मी...उम्मी, मैं तुम्हारे मार्क के साथ नहीं जाऊँगी। यहीं अबु के साथ रहूँगी...जाओ तुम लोग जाओ।'

'दरवाज़ा हम तोड़ देंगे, तुम हमसे जुदा नहीं हो सकती हो।' वफ़ा बिफरे लहज़े में बोली।

'सबा, उम्मी को ज़्यादा परेशान मत करो, मैं तुम्हें घूँसे मारूँगी।' नेदा ने ग़ुस्से में दोनों हाथों की मुटिठ्याँ दरवाज़े पर मारीं।

'तुम्हें अबु की सौगन्ध...दरवाज़ा खोलो!' साजदा ने बेहद गम्भीर स्वर में कहा।

'नहीं...कभी नहीं! अगर ज़ोर दोगी तो मेरे पास लाइटर है, मैं आग लगा लूँगी।' सबा इस बार सर्द लहज़े में बोली।

'ठहरो! वह दीवानी हो रही है...तुम सब हाल में जाओ। मुझे कुछ सोचने दो।' फुसफुसाकर समीरा ने कहा तो लड़कियाँ उदास चेहरे और नाउम्मीद क़दमों से हाल की तरफ़ बढ़ीं।

स्टोररूम के दरवाज़े की झिरियों से सबा की तेज़ साँसें सुनाई पड़ रही थीं।

पौ फट चुकी थी।

लॉबी के ऊपर लगी रंगीन शीशों की धूपदानी ने अपना रंग बदल लिया था। समीरा चकराए दिमाग़ के साथ उसी तरह बैठी थी जैसे कहना चाह रही हो कि इस बन्द गली से निकास का द्वार कैसे खोलूँ? बाहर गाड़ी रुकने की आवाज़ उसने सुनी तो वह अपनी जगह से उठी।

दरवाज़ा खोला, सुबह की दूधिया रौशनी में सिविलियन ड्रेस में मार्क उसे आता दिखा। उसकी ज़िन्दगी में उगनेवाला सूरज! वह मुस्कुराई।

'गुडमॉर्निंग!' मार्क ने हाथ हिला गुनगुनाते हुए कहा।

'हम सब तैयार हैं मगर...' समीरा ने सुब्ह बख़ैर का जवाब मार्क के गाल को चूमते हुए दिया फिर कह उठी, 'सबा ने अपने को जाने क्यों...स्टोररूम में बन्द कर लिया है।' समीरा चाहने के बावजूद अपनी आवाज़ सँभाल नहीं पाई।

'ओ माई गॉड!' मार्क ने लपकते हुए कहा। उसकी आवाज़ सुन लड़कियाँ भी लॉबी में निकल आई थीं।

'सबा!' मार्क ने दरवाज़े पर थपकी दे हलके-से पुकारा।

ख़ामोशी।

'सबा! मैं यहाँ हूँ जो कहना है सामने आकर साफ़-साफ़ कहो, यूँ दरवाज़ा बन्द करके अपनी बात मनवाना दुरुस्त नहीं है।' मार्क ने सपाट लहज़े में कहा।

ख़ामोशी।

'सबा, हम पहले मिल चुके हैं फिर यह आँखमिचौली क्यों? क्या तुम्हें अच्छा लगेगा कि मैं अपनी एक ठोकर से अन्दर की चिटखनी तोड़ दूँ?' कुछ अजीब लहज़े में कुछ अजीब अन्दाज़ में मार्क ने कहा और सिर झुकाकर खड़ा हो गया।

जैसे गिनती गिन रहा हो।

चन्द लम्हे बाद...

दरवाज़े की सिटकनी गिरी और हलकी आवाज़ से दरवाज़ा खुला। सबा का चेहरा नज़र नहीं आया मगर ऐसा कुछ अँधेरे में चमका शायद वह उसकी आँखों पर पड़ी रोशनी की चमक हो!

'थैंक्स!' मार्क की आवाज़ लरज़ी।

दरवाज़ा पूरा खुला और सबा बाहर निकली। समीरा तेज़ी से बढ़ी, मगर मार्क ने दोनों हाथ इस तरह फैलाए कि कोई सबा की तरफ़ नहीं बढ़ा।

'सिर्फ़ एक जुमले में कहो कि तुम्हारा एतराज़ क्या है?'

'आपका हमलावर फ़ौजी होना,' सबा ने बिना झिझके साफ़ शब्दों में कहा जिसे सुनकर सभी चौंके। यह बात पहले साफ़ हो चुकी थी। लेकिन सबा के हलक़ से नहीं उतर पाई थी।

'जो मैंने यह जॉब छोड़ दी तो?'

'मुझे आपके साथ चलने में कोई एतराज़ नहीं!' सबा ने फ़ौरन जवाब दिया, 'मुझे पता है आप एक अच्छे इन्सान हैं।'

'मेरा रिज़िगनेशन ज़रूर क़ुबूल होगा? तब तक हम यह शादी आगे के लिए टाल देते हैं मगर मुझे तुम लोगों को छोड़कर जाना होगा तब तक तुम सबकी सुरक्षा?'

'आपसे मिलने से पहले उम्मी हमारी हिफ़ाज़त करती थीं अब भी करेंगी, उस शेरनी की तरह जिसने इन्सान को पछाड़ दिया था, जिसकी मूर्ति आज

भी बेबिलान में मौजूद है।' सबा ने एक ख़ास तेवर से कहा।

लॉबी में ख़ामोशी छा गई। समीरा बेटी के इन जवाबों से दंग रह गई। उसे पता था कि मार्क इस्तीफ़ा दे रहा है। इस बार बग़दाद में ड्यूटी ज्वाइन करने की शर्त भी उसने यही रखी थी मगर इन सारे फ़ैसलों में सबा की मर्ज़ी अहम हो उठी या फिर...?

'रिश्ते दिलों से बनते हैं, काग़ज़ या दस्तख़त से नहीं...मैं तुम सबकी इजाज़त से तुम्हारी माँ की उँगली में अपनी चाहत की अँगूठी पहनाता हूँ और ताउम्र फेथफुलनेस की क़सम खाता हूँ।' मार्क ने जेब से मख़मल की डिबिया निकाली और समीरा की उँगली में अँगूठी पहनाई।

साजदा ने जल्दी से क़दम बढ़ा माँ के पर्स से छल्ले का लिफ़ाफ़ा निकाला और माँ की तरफ़ बढ़ाया।

'इस सरज़मीन पर ईसा ने कभी ज़हर का प्याला पिया था और मैंने इस सरज़मीन पर आकर होशमन्दी के शरबत का घूँट भरा है।' मार्क ने जैसे अपने से कहा हो।

'समीरा! तुम्हारी जान तुम्हारी लड़कियों में बसती है और मेरी जान तुममें, अब मैं तुमसे विदा होता हूँ...तुम सबको लेने मैं जल्द ही आऊँगा। उम्मीद है, तुम सब एक-दूसरे का ख़्याल रखोगे।'

मार्क ने इतना कह समीरा को चूमा और बेटियों की तरफ़ मुड़कर अपनी बाँहें फैला दीं।

समीरा के दिल में कुछ उमड़ा, हलक़ में अटका मगर वह कुछ कह न सकी सिर्फ़ उसके होंठ कँपकँपाकर रह गए।

मार्क की फैली बाँहों में सबसे पहले सबा समाई और मार्क की छाती से लग फफक उठी और फिर साजदा, लैला, वफ़ा और नेदा।

समीरा के दिल की गहराइयों से जैसे प्यार का सोता फूटा।

मार्क ने जब कार का दरवाज़ा खोल अलविदाई अन्दाज़ से हैट हिलाई तो समीरा का कलेजा मुँह को आ गया।

उसे लगा जैसे उसकी ज़िन्दगी का आईना किसी ने एकाएक फिर से उलट दिया हो। बहार का रुख़ फिर ख़िज़ाँ की तरफ़ मुड़ गया हो...फिर वही तन्हाई, वही जद्दोजहद, वही वीरानी...

वह सब-कुछ भूलकर चीख़ पड़ी, 'ठहरो मार्क...ठहरो, यूँ मत जाओ मुझे छोड़कर।' इतना कह वह तेज़ी से मुड़ी और मार्क के सीने से जा लगी। उसका सारा वजूद जज़्बात की शिद्दत से काँप रहा था।

उसकी आँखों में इल्तजा का समन्दर लहरा रहा था।

मार्क उसमें पूरी तरह डूब गया।

चन्द लम्हे यूँ ही गुज़र गए।

मार्क के चेहरे पर उभरा भाव जैसे कह रहा हो कि मुझे तुम्हारी यही अदा पसन्द है कि तुम रिश्तों की डोर को मज़बूती से पकड़े रहती हो। आँखों की ज़बानी जैसे सब-कुछ आपस में तय हो गया।

समीरा ने बच्चियों की तरफ़ मुड़कर कहा, 'आओ, आकर बैठो। अब हमारा प्रोग्राम पहलेवाला होगा, आख़िर तुम्हारी ग्रैनी माँ तुम्हारा बेक़रारी से इन्तज़ार कर रही हैं। चलो, आओ।'

सूरज निकल आया था। उसकी गुलाबी नारंगी रोशनी में सफ़ेद कपड़े रंग में नहा चुके थे। सुबह की ख़ुशबू को पाँचों बहनें कार के पीछे बैठी गहरी साँसों से अपने में जज़्ब कर रही थीं।

●●●